Siobhan Dowd

DE WEG

Haar verleden ligt voor haar en ze kan niet terug

Uit het Engels vertaald door Tjalling Bos

Van Goor

Voor Anna

De vertaler ontving voor deze vertaling een werkbeurs van het Nederlands Letterenfonds

ISBN 978 90 475 1732 0
NUR 285

Uitgeverij Unieboek | Het Spectrum bv, postbus 97, 3990 DB Houten

oorspronkelijke titel *Solace of the road*

www.van-goor.nl
www.unieboekspectrum.nl

tekst Siobhan Dowd
vertaling Tjalling Bos
omslagontwerp Marieke Oele
omslagfoto Hillcreek Pictures
zetwerk binnenwerk Mat-Zet bv, Soest

Als ik was waar ik wil zijn,
Zou ik zijn waar ik niet ben.
Maar ik ben waar ik moet zijn,
Waar ik wil zijn, ben ik niet.

uit 'Katie Cruel', een oud Amerikaans liedje

1

Fishguard

Nonchalant slenterde ik langs de rij auto's. Je zou nooit gedacht hebben dat ik een manier zocht om aan boord te komen.

Ik liep langzaam verder, met het zonlicht op mijn blonde pruik. Opeens zag ik hem. Een glanzende, donkerblauwe 4x4, met zeven stoelen en zonder kinderen. De eigenaren – grijze hoofden, ouderwetse kleren – waren net uitgestapt en hadden de voorportieren wijd opengelaten. Ze stonden meters verderop naar de zee te kijken en praatten met iemand voor hen in de rij.

Het waren hoza's, zeker weten. Dat woord hebben Trim, Grace en ik bedacht in Templeton House. Het betekent 'hopeloze oude zak'.

Ik wierp een blik in de wagen. Jassen, tijdschriften, kranten. Een kinderzitje, maar geen kind. Slordig. Kon niet beter. Ik stapte voor in en klauterde naar achteren.

Het rook naar hondenhaar en plastic, door elkaar. Ik maakte me klein op de vloer en trok de jassen over me heen. Het was stil en donker. Ik kon de wind niet horen.

Ik was op weg naar Ierland, helemaal in mijn eentje.

Ik wachtte. Mijn huid prikte. Mijn neus kriebelde. Jee, wat een ellende. Wat deed ik hier in vredesnaam? Het was alsof ik midden in een droom met een ruk wakker werd en merkte dat ik op precies dezelfde plek was – de droom was de werkelijkheid. Ik was bijna opgestaan en de auto uit gevlucht, maar de eigenaren kwamen terug. Ik verstijfde. Ze stapten in en de wagen ging op en neer. Mijn pruik gleed af. Ik voelde dat hij opzij viel, en kon er niets aan doen. Ik kneep mijn ogen samen en klemde mijn kiezen op elkaar. De eigenaren begonnen te praten. De portieren werden dichtgeslagen en de motor startte.

'Het werd tijd,' mopperde meneer Hoza. 'We wachten al de hele ochtend.'

'Het was jouw idee om bij het eerste daglicht te vertrekken. Ik heb het niet bedacht.' (Mevrouw Hoza.)

'Dat was voor eventualiteiten.'

'Ach, jij met je eventualiteiten.'

'En die keer dan dat we een klapband hadden?'

'Wat heeft die klapband ermee te maken?'

'Toen was je maar wat blij dat we vroeg waren vertrokken.'

'Dat was jaren geleden. Voordat de kleinkinderen er waren. Zelfs nog voor de kinderen!'

'Daarom juist. Nu kan er dus elk ogenblik weer wat gebeuren.'

'Bewaar me. Trek niet zo'n lelijk gezicht. Die man wenkt dat je moet doorrijden.'

Ik wist niet waar ze het over hadden. Eventualiteiten. Konden ze niet normaal praten? Ze hadden een raar accent, deze hoza's. Heel anders dan de andere Ieren die ik kende. Niet zoals mama of Denny de engerd. En beslist niet zoals Miko. Maar ik was blij dat ze ruziemaakten en niet omkeken. Meneer Hoza gaf gas. We reden langzaam vooruit. Blijkbaar kwamen we bij het loket, want ik hoorde dat iemand hun kaartjes voor de pont controleerde. Zou hij de bult op de vloer achterin zien? Ik voelde dat mijn geluk er stilletjes vandoor ging. Zonder pruik was Solace er niet meer. Ik was weer gewoon Holly Hogan, het meisje dat niemand wilde. Maar nee. Een wonder. De auto hotste over de oprijbrug en er klonk een echo als een boemerang. Daarna hoorde ik stemmen, dichtslaande portieren en dreunend metaal. Ergens diep in het schip draaide de motor. Zelfs onder de jassen voelde ik een vreemde hitte die oprees, en de buizen en het lage plafond boven mijn hoofd, alsof iemand me op de grond drukte zoals ze deden toen ze me opsloten in de gesloten afdeling.

Ik hield mijn adem in.

'Vergeet het eten niet,' riep meneer Hoza. Zijn stem leek dichtbij, nu we in het ruim van het schip waren.

'Dat staat hier bij mijn voeten.'

'Getver, haal het dan maar gauw weg.'

'Ach, hou je mond.'

'Jij kunt ook niet tegen een grapje, zeg.'

'Niet nadat ik hier zes uur heb moeten wachten. Het lijkt langer dan een verregende week. Stappen we nou uit of niet?'

'Zullen we de jassen meenemen?'

Verdomme. Betrapt.

'Het is snikheet. We hebben eerder zonnebrandcrème nodig.'

Meneer Hoza lachte. 'Ja, vast. Geef mij de tas met eten maar.'

Ik hoorde geschuifel. De 4x4 schudde toen ze uitstapten.

'Dit zijn de diepten van de hel,' zei mevrouw Hoza. 'Laten we snel naar boven gaan.'

Nu of nooit. Ze kijken nog even naar de auto en ontdekken mij, of niet.

De voorportieren sloegen tegelijk dicht, en toen gebeurde er iets waarop ik niet had gerekend.

TSJAK.

Ze hadden alle deuren tegelijk op slot gedaan, met mij in de auto. Jezus. Ik hoorde hun stemmen gedempt in de verte verdwijnen.

Als je in een auto zit en iemand heeft hem vanbuiten afgesloten, kun je er dan nog uit?

En als je er niet uit kunt, kun je dan een raampje opendoen?

En als je geen raampje open kunt doen, hoe lang kun je dan de lucht in de auto ademen? Lang genoeg voor de overtocht over de Ierse Zee?

En als de lucht op is voordat je aan de overkant bent, ga je dan dood?

De vragen zoemden als boze bijen door mijn hoofd. Ik bleef verstijfd liggen. Portieren sloegen dicht. Mensen liepen voorbij. Eén keer schudde de 4x4 toen iemand ertegenaan stootte. Daarna verdwenen de geluiden van auto's en mensen. Ik hoorde alleen nog het zware, verhitte geluid van het schip.

Ik duwde de jassen van mijn gezicht en staarde naar beige en groene vlekken op het plafond van de auto. Toen verdwenen de vlekken en zag ik de hemelflat. Dat is het laatste huis waar ik samen met mama heb gewoond. Heel lang geleden. De wolken verdrongen zich voor de ramen. Mama en Denny maakten ruzie. Daarna lachten ze, het ijs in mama's doorzichtige drankje tikte tegen het glas en ik hield een lege tube tandpasta omhoog. Nee. Dat niet. Ik veegde het beeld uit zoals krijt van een schoolbord. Mama zat weer voor de spiegel, in haar zwarte jurk met de strakke halterhals. De wind woei door haar haren, ook al was ze binnen. En ik borstelde haar haren. Dat was beter. Niet ophouden met borstelen, Holly. Voor geen goud.

Maar ik was hier alleen met de beige en groene vlekken. Ik voelde een hete traan over mijn wang rollen. Ze waren gekomen en gegaan, de goede mannen, de slechte, sommige die om haar gaven, en een heleboel die dat niet deden. Nu was alleen ik er nog, en het holle dreunen van het schip. Ik zag mijn droom over Ierland naar me wenken, maar hoe kun je een droom binnen varen? Dromen zijn net spiegels. Als je erheen loopt, word je tegengehouden door een koude ruit.

Ierland. Groen, golvend gras.

Mama die zingt. *Sweet dreams are made of this.*

Koeien die tegen een heuvel op lopen.

Vrijheid.

Waar honden lachen en hun buik laten zien.

En mama glimlacht. Welkom thuis, schat.

Ik ging op de bank zitten en streelde de pruik op mijn schoot. De leren bekleding van de bank was grijs en zacht. Mijn wangen gloeiden. Ik ademde. Kalm aan, Holl. Ik probeerde het portier open te maken.

Het zat op slot.

Ik drukte op de knopjes om het raam open te doen. Er gebeurde niets.

Kalm blijven, meid.

Ik tuurde naar buiten. Zwak licht, de ene auto na de andere, rijen bumpers, glas met niets erachter, grauwe kleuren. En toen een ruk en een slinger. We voeren.

Jezus. Mevrouw Hoza had gelijk. Dit waren de diepten van de hel. Mijn maag kwam omhoog, een halve tel na de rest van mij. Ik bonkte op de ruiten. Ik krijste als een trompet, maar het stampen stopte niet. Straks raak ik bewusteloos door de zuurstofloze hitte, dacht ik. Mama, dacht ik. Je bent daar ergens. Aan de andere kant van het glas. Kom me halen.

Laat me eruit. Alsjeblieft. Iemand. Wie dan ook.

Laat.

Me.

Eruit.

De boot stampte. Ik schreeuwde. Ik sloeg op het glas.

Het werd donker in mijn hoofd. De duisternis lag als een deken over me heen, en onder me gaapte de zee. Er kwam niemand.

2

De plaatsing

In de duisternis viel ik terug naar waar ik mijn reis was begonnen. De weg die ik had gevolgd verdween van onder mijn voeten. Bergen, kastelen, heuvels en asfalt losten op en ik was weer bij het begin, toen ik wegging uit het tehuis. Bij Miko dus.

'Miko,' zei ik hardop. 'Miko? Waar ben je?' En daar was hij, in mijn hoofd, en hij glimlachte naar me. Boomlang, bijna zonder haar. Hij keek op me neer vanaf de top van een heuvel, met zijn gitaar op zijn rug. 'Haast je, Holly Hogan,' zong hij. Het was het liedje dat hij voor me had bedacht, de keer dat we met zijn allen naar Devon gingen. 'Voordat de weg verdwijnt onder je voeten.' Toen schudde hij zijn hoofd, draaide zich om en liep weg.

Miko was mijn groepsbegeleider in Templeton House. Dat betekende dat hij zich echt met mij bezighield. Zijn naam was een afkorting van Michael, en je moest het uitspreken als Maiko. Hij had een tatoeage van een eenhoorn op zijn onderarm en kon overal mee jongleren: bijvoorbeeld met geroosterde boterhammen, een jampot en een sleutelbos. Miko had me geleerd mijn matras tegen de muur te zetten en ertegen te schoppen tot er geen spijkerbommen meer ontploften in mijn hoofd. En hoewel je het niet aan hem kon horen, kwam Miko oorspronkelijk uit Ierland, net als mama en ik. Ik vond hem aardig. Hij stond aan mijn kant.

Ik was veertien en zat al langer in Templeton House dan wie ook, zelfs langer dan Miko. Ik had ze zien komen en gaan, de begeleiders en de zorgenkindjes, maar ik vond het er het fijnst nu Miko er was. Hij had me geholpen mijn kamer groen en wit te schilderen. En voor het raam had hij de gouden gordijnen gehangen die mijn vriendin Grace en ik hadden gevonden op de overdekte markt. Dus nu was mijn kamer helemaal groen, wit en goud – de kleuren van Ierland. Mijn kamer was Iers.

In mijn kamer had ik al mijn lievelingsspullen. Drew van Storm Alert, mijn favoriete groep, keek met zijn bruine ogen broeierig omlaag vanaf de posters aan de muren. Op het bed zat Rosabel, het pluizige knuffelhondje dat ik altijd had gehad. Toen ik klein was, nam ik Rosabel overal mee naartoe. Ik voerde haar hapjes van het avondeten, die tussen haar poten bleven liggen en langzaam bedierven. Maar toen Miko kwam, zei hij: 'Holly, ze begint oud te worden.' Ik was twaalf. Dus zette ik Rosabel op het voeteneind van het bed en daar bleef ze. Ze warmde mijn voeten, maar ik deed niet meer of ze leefde.

Mijn kostbaarste bezit was de barnsteenring van mama, in het schelpendoosje op de plank.

Templeton House had plaats voor zes kinderen – drie jongens en drie meisjes. De jongens sliepen in de aanbouw aan de achterkant en de meisjes in de kamers boven. Grace was mijn beste vriendin en Trim mijn beste vriend. Ze waren een jaar ouder dan ik. Trim was een herrieschopper en Grace was een mooie meid. Op zondagen reden Grace, Trim en ik vaak rond in de metro, en soms op schooldagen ook. Voor de jonge kinderen in het tehuis waren we eng. Daarom bleven ze bij ons uit de buurt.

Miko schreef in zijn rapporten dat ik afgleed. Ik moest me niet meer door anderen van het rechte pad af laten brengen. Met 'anderen' bedoelde hij Grace en Trim, maar dat zei hij nooit.

Op een dag kwam hij de woonkamer in en zei: 'Holly, ik heb nieuws voor je.'

We zaten voor de vijftiende keer naar het zinken van de Titanic te kijken. Het goot buiten en we hadden niets anders te doen. Ik zat onderuitgezakt op de zitzak en Grace leunde tegen mijn benen zodat ik haar vlechtjes kon bijwerken. Ik kon mijn ogen bijna niet openhouden, zo slaperig werd ik van de regen. Ik stelde me voor dat ik weer in Ierland was, waar het altijd regent. Ik was er sinds mijn kindertijd niet meer geweest, maar ik zag het nog voor me. In gedachten stond ik op een groene heuvel, met mama op de top. Ze droeg haar zwarte halterjurk en haar haren golfden en glansden in de wind. De regen was zo zacht dat het was alsof je door zijde liep.

We waren bij het deel waar Kate W. de bijl gaat halen.

'Hou je kop, verdomme,' snauwde Trim tegen Miko. *Titanic* was Trims absolute lievelingsfilm. Als die aanstond, werd hij al razend als je te hard op je chips kauwde.

'O ja? Wat voor nieuws dan, Miko?' vroeg ik niet echt geïnteresseerd, en Trim stompte met zijn vuist tot vlak voor mijn neus.

Miko wenkte met zijn hoofd naar buiten. Dus liet ik Kate W. verder alleen door de gang van het schip rennen en liep achter Miko aan naar het kantoortje met alle dossiers. Ze stonden naast elkaar in grijze dozen, met ieders naam op minstens één doos. Hoe langer je in Templeton House was, hoe meer dozen je had. Ik had er zes, meer dan alle anderen.

Miko ging op de draaistoel zitten. Ik plofte neer op een houten klapstoel bij het raam en legde mijn sportschoenen op de rand van de prullenbak. Vandaar kon je de tuin zien, die grijs en bruin was en droop van de regen. Mij best. Ik glimlachte. Als ik Kate W. was met die bijl, zou ik die engerd hebben aangevallen die met haar wil trouwen.

'Holly,' zei Miko.

'Ja. Wat?'

'Wil je weten wat het nieuws is of niet?'

'Het maakt mij niet uit.'

'Je hebt kans op een plaatsing, Holly.'

Ik haalde mijn schouders op. Dat had ik eerder gehoord. Er kwam nooit iets van.

'Precies wat je wilde. Een aardig stel, zo te horen. Geen kinderen.'

Hij grijnsde van oor tot oor, alsof ik de loterij had gewonnen. Ik boog me voorover, viste een verfrommelde prop papier uit de prullenbak en gooide hem van de ene hand in de andere.

'Je hebt echt geluk deze keer,' zei Miko.

'O ja?'

'Eerlijk. Ik heb het met Rachel besproken.' Rachel is mijn sociaal werker. Dat is weer wat anders dan een groepsbegeleider. Een groepsbegeleider woont een deel van de tijd bij je in het tehuis en de sociaal werker werkt gewoon van negen tot vijf op een kantoor, zoals iedereen.

'Ze heeft ze ontmoet en vindt het goede mensen,' ging Miko verder.

Goede mensen. Ik stak een vinger in mijn keel.

'Oké. Aardige mensen. Ze hebben een heel mooi huis. Victoriaans en helemaal opgeknapt. Je zou een eigen kamer krijgen. En zoals ik al zei, ze hebben geen kinderen.'

'Zijn ze Iers?' vroeg ik.

'Wat?'

'Grace heeft alleen plaatsingen bij zwarten. Dus wil ik alleen Ieren.'

'Toe nou, Holly. Ze heten Aldridge. Dat klinkt niet erg Iers. Maar de meeste Engelsen hebben wel wat Iers bloed. Dat is bewezen.'

'Huh.'

'Nou?'

'Wat nou?'

'Wat vind je ervan, Holly?'

Ik gooide de prop papier naar Miko's hoofd. Ik wilde zijn neus raken, maar hij ving hem bliksemsnel.

'Dat vind ik ervan,' zei ik. 'Het is gewoon shit.'

Miko gooide de papieren bal weer naar mij toe en ik sloeg hem terug. Zo volleyden we een tijdje, tot Miko hem in de prullenbak kopte.

'Toe nou, Holly,' zei hij.

'Toe nou, Miko,' zei ik. Maar toen moest ik glimlachen. Ik kende niemand die zo goed kon voetballen als Miko, behalve dan de professionals. 'Ik wil helemaal niet geplaatst worden,' zei ik. 'Het bevalt me hier best.'

'Maar je school, Holly. Je gaat nooit. Bij de familie Aldridge begin je opnieuw op een andere school. Een betere school.'

Ik trok een gezicht alsof ik in een citroen had gebeten.

'Holly,' zei Miko zacht.

'Ja?'

'Laat deze plaatsing niet vanwege mij aan je voorbijgaan. Oké?'

Ik pakte de rits van mijn sweater vast en rukte eraan. 'Huh. Verbeeld je maar niets.'

'Er is iets wat je moet weten, Holly.'

'O ja? Wat dan?'

'Ik ga hier weg.'

Er viel een lange stilte. Ik draaide me naar het raam en keek naar de regendruppels die omlaag kropen als verdwaalde mieren. 'Weg?' vroeg ik met een klein stemmetje. 'Hoe bedoel je – weg?'

'Ik heb gesolliciteerd naar een nieuwe baan. Het wordt tijd.'

De regel was: als jij en je groepsbegeleider uit elkaar gaan, mag je geen contact meer hebben. Nooit meer.

'Maar onze plannen voor de zomer dan, Miko? We zouden toch teruggaan naar Devon? Dat heb je beloofd. Je zou ons leren surfen. Hoe moet dat nou, Miko?'

Hij gaf geen antwoord.

'Hoe bedoel je – het wordt tijd?' Dit kon ik niet aan, voelde ik.

Miko legde een hand op mijn schouder. 'O, Holly.'

'Je bent mijn begeleider, Miko. We zijn een team, jij en ik. Dat heb je zelf gezegd.'

'Het is moeilijk uit te leggen, heel moeilijk. Weet je…'

Ik beet op mijn lip.

'Ik moet weg, Holly. Ik kan hier niet veel meer doen. Jij bent aan het afglijden. Dat heb ik al zo vaak gezegd. Je hebt een echt huis nodig. Waar je je thuis voelt. Dat verdien je, en de familie Aldridge kan het je geven. Geloof me, Holly.'

Ik stond op van de stoel en pakte de harde rand vast. Ik wilde niet dat Miko mijn gezicht zag; daarom draaide ik me weer naar het raam en staarde naar buiten naar de troosteloze bomen.

'En er is nog een andere reden waarom ik hier weg moet, Holly. De nachtdiensten. Daaraan gaat mijn relatie kapot.' Hij had het over zijn vriendin Yvette. Tot dat moment had ik nooit gedacht dat ze echt bestond, met zo'n naam.

'Het is nat buiten,' zei ik.

'Je hoeft ze alleen een keer te ontmoeten. Dan kun je zien wat je ervan vindt. Toe nou, Holly. Alsjeblieft.'

Ik staarde naar de dode bladeren op het gras. 'Zeiknat.'

'Doe je het, Holly?'

Ik antwoordde niet.

'Je hoeft ze alleen maar te ontmoeten. Verder zit je nergens aan vast.'

Ik wuifde met een hand naar hem. 'Goed hoor, Miko. Wat je wilt. Nu ga ik terug om te zien hoe al die Ieren in de derde klas bevrijd worden.'

Ik slenterde terug naar de woonkamer, waar de Titanic al half onder water lag, en helemaal scheef. Grace hurkte op de vloer en begon haar teennagels te lakken in een rare kleur, die volgens het flesje xtc heette. De kamer stonk naar slechte deodorant. Zoals altijd. Trim zat op de rugleuning van de bank en stompte in de lucht toen het schip in de diepte verdween.

Ik ging naast Grace zitten. 'Geef mij het flesje maar, Grace. Dan doe ik de rest voor je.'

Maar in plaats daarvan spatte ik een klodder nagellak als paarse kots op het beige vloerkleed.

'Wat doe je nou, stomme trut?' krijste Grace.
'Hou je kop, verdomme,' brulde Trim.
Een kans op een plaatsing? Ze wilden gewoon van me af.
Templeton House zonder Miko? Dan zat ik nog liever op de Titanic.

3

Dag, Templeton House

Ray en Fiona Aldridge woonden in een wijk die Tooting Bec heette. Voor onze eerste ontmoeting kwamen ze naar het tehuis. Miko bracht hen naar mijn kamer en liet ons alleen.

Fiona was klein, met een uitgemergeld gezicht en kraaienpootjes bij haar ooghoeken. Ze had een puntige neus en golvend haar, dat slordig kortgeknipt was, alsof ze het zelf had gedaan. Ze droeg bungelende oorbellen en een grofgebreid vest met rode en groene vlekken. Ik had haar meteen door. Ze was zo iemand die zich armer kleedt dan ze is, en de walvissen wil redden. Zo iemand die een hond met drie poten zou meenemen uit het asiel.

Ze kwam naast me op het bed zitten, alsof we goede vriendinnen waren, en praatte bekakt, zacht en heel beleefd tegen me. Ray zei niet veel. Hij bleef bij de deur staan en keek verveeld opzij. Hij was mager en zag er netjes uit.

Na de eerste kennismaking hadden we niet veel meer te zeggen.

Fiona vroeg me wanneer ik jarig was.

'Wat denk je, met een naam als Holly?' zei ik.

Fiona glimlachte. 'Het is een mooie naam. Holly betekent toch 'hulst'? Dan ben je zeker met Kerstmis geboren.'

'Dat denkt iedereen. Maar ik ben in juni jarig.'

'Juni? Dat is een fijne maand. Hulst is het hele jaar groen, hè?'

'O ja?'

'Ja, ik dacht van wel.'

'En de bessen dan?'

'De bessen? Die zitten er alleen in de winter aan, geloof ik.'

Fijn hoor, dacht ik. Dus ik ben een hulst zonder bessen, alleen met de stekels. Ik geloof dat ik op dat moment besloot dat ze een hoza was, ondanks al het glimlachen, knikken en naast me op bed zitten.

Ik weet niet waarom, maar ik pakte Rosabel van mijn bed en vertelde dat ze mijn hondje uit Ierland was. Ik vroeg of ze ook in hun huis mocht wonen, en maakte een blafgeluid. Fiona lachte en zei: 'Natuurlijk. Ze is van harte welkom.'

Toen vroeg ik waarom ze geen kinderen hadden. Ik weet ook niet waarom ik dat deed. Eigenlijk wilde ik weten waarom ze me mee naar huis wilden nemen. Maar Fiona zei verdrietig dat ze geen kinderen kon krijgen, en ging er niet op door.

Ze vertelden nog dat hun huis bij een park stond en dat ze al een kamer voor me klaar hadden. Daarna gaven ze me een hand alsof het een sollicitatiegesprek was, en ze vertrokken.

Toen ze weg waren, kwam Miko vragen wat ik van hen vond.

'Hoza's,' zei ik. 'Allebei. Zeker weten.'

'Toe nou, Holly,' zei Miko. 'Is dat alles wat je kunt zeggen?'

'Ja.'

'Wil je ermee doorgaan of niet?'

'Ik weet het niet.'

Hij begon weer te zeuren dat het tijd voor me werd om hier weg te gaan, dat ik ergens anders beter af was, omdat het hier niet goed met me ging, enzovoort. Ik krabde op mijn hoofd alsof ik luizen had, en deed alsof ik het niet begreep. Hij begon zachter te praten. 'Holly, ik heb net gehoord dat ik op gesprek mag komen. Voor die baan. Het gaat lukken.'

Ik staarde hem aan. Het voelde als een koude douche. Ik had gedacht: misschien krijgt Miko die baan helemaal niet. Einde verhaal. Hij blijft gewoon mijn groepsbegeleider en de Aldridges kunnen naar de hel lopen.

De nachtdiensten. Daaraan gaat mijn relatie kapot.

'Een gesprek?' zei ik. Ik pakte Rosabel en slingerde haar aan haar oor in het rond. Misschien zouden de mensen van de nieuwe baan hem niet aardig vinden, dacht ik. Maar iedereen vond Miko aardig. Natuurlijk zou hij die baan krijgen.

Miko stond op. 'Ja. Maandag. Denk je erover na, Holly? Ik heb een goed gevoel over Fiona en Ray. Ze zijn een kans uit duizenden voor je. Je zou een weekend op proef kunnen gaan.'

'O ja?'

'Ja, Holly. Wil je dat?'

Ik ging achterover op bed liggen en onderzocht Rosabels bruine voorpootje, alsof ik een steentje tussen haar tenen vandaan peuterde. 'Woef!' zei ik. Miko leunde tegen de deurpost en hield afwachtend zijn hoofd scheef. Dus hield ik Rosabel omhoog en zei met een grommende hondenstem: 'Oké. We geven de hoza's een kans. Woef.'

'Meen je het, Holly?'

'Ja. Wat kan mij het schelen.'

Miko keek dolblij, alsof Ierland wereldkampioen was geworden.

Ik begreep dat ik geen keus had.

4

Hallo, Mercutia Road

De dag van het proefweekend bij Fiona en Ray stonden Grace, Trim en ik met onze armen en benen verstrengeld op een kluitje. Ik voelde de zachte wang van Grace en Trims ruwe jongensellebogen. Miko leunde tegen de voordeur van Templeton House en zwaaide. 'Ze zijn vast dol op je, Holly,' riep hij.

Ja hoor.

Rachel bracht me met de metro naar het huis van de Aldridges. Ze woonden in een straat die de Mercutia Road heette. De bomen erlangs hadden gele bladeren. De grote, chique huizen waren van oude gele baksteen en hadden schuiframen. Ze keken zelfvoldaan op je neer. De paarsgrijze daken hadden dezelfde kleur als de lucht. De deuren waren in verschillende kleuren geschilderd. Ze hadden fraaie kloppers, een gleuf voor de post, en zeven traptreden vanaf de straat.

'Hier is het,' zei Rachel. 'Nummer tweeëntwintig.'

'Ja.'

'Hoe voel je je, Holly?'

'Gewoon.'

'Ben je niet zenuwachtig?'

'Nee hoor.'

Dat eerste weekend deed ik alles wat Fiona zei. Als ze voorstelde dat ik naar bed ging, gehoorzaamde ik. Ik zette niet mijn koptelefoon op als ze iets tegen me zei. Ik probeerde me er niet aan te ergeren dat ze de hele dag praatte als een opgenomen mededeling in de metro. Zo klonk haar stem – als de vrouw die zegt dat je moet oppassen voor de spleet tussen de wagon en het perron. Bekakt en onecht.

Zo was het huis ook. Er was overal hout, zelfs in de wc. En alles was netjes, schoon en precies zoals het moest. Ik zweer dat ik van vrijdag tot zondagavond mijn adem probeerde in te houden.

Maar Fiona en Ray hadden tenminste geen kinderen. Ik had hier geen last van kleine etters, zoals tijdens mijn plaatsing bij de Kavanaghs. Dat joch daar was vreselijk. Het ergste was dat hij mijn enige foto van mama verscheurde. Het was alsof hij me een mes in mijn oog stak, maar zijn moeder wilde niet geloven dat hij het had gedaan.

Hier had ik een eigen kamer en kon ik alles privé houden. Ik had een groot bed met een abrikooskleurig dekbed, zo zacht als maar kan, een ladekast met een sleutel en een klerenkast met een grote spiegel. Aan het plafond hing een kroonluchter waarin je alle kleuren van de kamer zag. Bij het raam stond een bureau met een glazen blad. Als je eraan ging zitten, kon je over de tuin uitkijken naar een muur met klimop. Achter de muur waren nog meer gele bakstenen en zelfvoldane ramen, en daarachter was het park. Tooting Bec. Dikke Nek.

'Vind je het mooi?' vroeg Fiona. 'We hebben het opnieuw laten inrichten.'

Ik dacht eraan hoe Miko in het tehuis de goudlamé gordijnen die ik had uitgekozen, elegant voor het raam had gehangen.

'Ja hoor,' zei ik. Ik had Rosabel meegebracht en legde haar op het kussen voor een middagslaapje.

Fiona vroeg me wat ik wilde eten. Ik zei dat ik een hekel had aan eieren. Oké, zei ze. Geen eieren. Toen zei ik dat ik dol was op pizza, en die kreeg ik dus.

Het tweede weekend ging net zo. Zondagavond ging ik terug naar het tehuis. Ray bracht me met de auto. Hij reed en zei bij elke hoek: 'We zijn er bijna.' Zo wist ik dat het Fiona's idee was om een pleegkind te nemen, en niet van hem. Hij wilde zo snel mogelijk weer van me af.

Rond Kerstmis zeiden Miko en Rachel dat ze een verrassing voor me hadden. De Aldridges wilden dat ik bij hen kwam wonen. Een echte plaatsing. Ze vonden me aardig, zei Rachel, en dachten dat ik bij hen zou passen.

Ja, dacht ik, als een heavy metal-zanger in een balletklasje. 'Hoe lang willen ze me hebben?'

'Voor onbepaalde tijd, Holly. Geweldig hè? Ze zijn echt enthousiast,' zei Rachel.

'Voor onbepaalde tijd? Zodat ze me terug kunnen sturen als ze dat willen?'

Miko wuifde met een hand. 'Waarom zouden ze dat doen, Holly? Je blijft nu toch op het rechte pad?'

Alsof ik een misdadiger was. 'Ik weet niet hoor, Miko. Crimineel zijn is hartstikke leuk.'

Miko trok een wenkbrauw op.

'Oké, oké, ik zal mijn best doen,' zei ik. 'Maar het is mijn schuld niet als ze me terugsturen. Het betekent dat ze het niet willen begrijpen.'

'Onbepaalde tijd geldt voor beide partijen, Holly. Jij kunt ook besluiten dat je er genoeg van hebt.' Rachel grijnsde. Ze was oké, Rachel. Hooguit voor de helft hoza. Sommige kinderen, zoals Grace, hebben sociaal werkers die zich amper laten zien, en die als ze dan toch een keer komen, tegen je praten alsof je uitschot bent. Zo was Rachel niet.

In januari, vlak voordat school weer begon, bracht ze me op een vrijdag naar de Mercutia Road en liet me daarachter, misschien wel voorgoed. Ze klopte aan en ik stapte achteruit naar de vijfde tree om te kunnen ademen. Sneeuwvlokken dwarrelden als veren omlaag en ik dacht aan Trim en Grace en ons verstrengelde afscheid. Maar ik dacht vooral aan Miko en zijn laatste omhelzing die ochtend. In gedachten omhelsde ik hem nog eens, en nog eens. Misschien was dit toch niet het einde. Misschien zou hij de regels overtreden en me een keer een brief sturen. Of ik zou op een dag over straat lopen en dan zou hij daar opeens glimlachend staan.

'Holly,' had hij gezegd, 'het komt goed. Ik weet het zeker.'

'Ja hoor, Miko. Natuurlijk.'

'Vergeet de truc met de matras niet. En kraak elke dag open...'

'Als een noot. Ja, ik weet het.'

'Precies, Holly. Klasse.'

Maar hij had me niet zijn mobiele telefoonnummer gegeven of zo.

Ik stond te rillen op de stoep die ochtend in de sneeuw in Tooting Bec.

'Alles goed, Holly?' vroeg Rachel.

'Ja. Best. Ik heb het koud.'

'Natuurlijk.' Ze raakte mijn arm aan en stampte daarna met haar voeten op de bovenste tree.

De deur ging open. Daar stond Fiona. Ze knikte met haar hoofd zoals een van die stomme hondjes voor achter in de auto. 'Kom binnen. Het is ijzig.'

Ik liep over de deurmat en voelde Fiona's hand op mijn schouder. 'Holly,' zei ze. 'Je bent hier welkom. Echt waar.' Zoals ze naar me keek, gaf ze me het gevoel dat ik haar nieuwe speelgoed was. Toen ging ze wat harder praten, om Rachel erbij te betrekken. 'De thee staat klaar.'

Daarna ging Rachel algauw weg. Fiona ruimde neuriënd de keuken op, alsof het de gewoonste zaak van de wereld was om een crimineel pleegkind met een gebroken verleden in huis te hebben. Ik staarde naar de houten tafel met de onderzetters. Het blad zag er splinternieuw uit. Ik herinnerde me de tafel in het tehuis, met alle kringen van hete bekers, slijtplekken en krassen, en kreeg pijn in mijn maag. Ik dacht aan ons laatste gesprek, Trim die nijdig werd, terwijl Miko jongleerde en Grace haar erwten over tafel schoot in plaats van ze op te eten. Wat deed ik hier? Waarom had ik ja gezegd?

5

De pruik

De dagen gingen voorbij. Een nieuwe school. Een nieuw huis. Nieuwe mensen. Alles nieuw. Het huis aan de Mercutia Road was zo stil als een kerkhof. Buiten vielen sneeuwbuien, dag in dag uit.

Fiona begon telkens gesprekken. Ik wist nooit wat ik moest zeggen. Het vervelende was dat ze altijd vragen stelde. Dus dan moest ik antwoorden. Ze leek wel een snuffelende hond, maar ik was geen begraven bot, verdomme. Ik probeerde om niet met haar in dezelfde kamer te zijn.

De trap was mijn lievelingsplek. Ik had drieënzestig treden geteld, met die van buiten erbij. Meestal ging ik op het tweede trapportaal zitten, waar de trap omkeerde. Daar was een klein raampje, en ik keek hoe de sneeuw omlaag dwarrelde tot de hemel leeg was. Soms zat Rosabel bij me op schoot, en soms verstopte ze zich op mijn bed.

Als Fiona niet keek, scharrelde ik in de laden en kasten en zocht overal naar iets wat me op nieuwe ideeën kon brengen. Maar ik vond alleen saaie spullen. Lakens, handdoeken, zakjes lavendel. Niets bijzonders.

Maar na een week in het nieuwe huis vond ik de pruik.

Hij lag in de onderste la van een kast boven aan de drieënzestig treden. De plastic tas waar hij in zat was zo plat dat ik bijna niet de moeite nam om te kijken. Maar ik stak mijn hand erin alsof het een grabbelton was, en voelde een wirwar van zachte dunne slierten. Nieuwsgierig keek ik in de zak. Het waren haren, sommige bijna grijs, andere goudkleurig, maar bij elkaar blond, met lichte plukjes. Ik haalde ze uit de zak en voelde aan de laagjes en punten. Aan de binnenkant zat een netje met een bruine band om over je hoofd te doen. Als je je hand erin hield, was op de plaats van de scheiding je eigen bleke huid te zien.

Het was een asblonde pruik, echt adembenemend mooi.

'Holly!' riep Fiona van beneden. 'Holly, eten!'

Ik propte de pruik terug in de zak en deed de la dicht. Als Fiona die middag wegging om boodschappen te doen, zou ik de pruik opzetten, beloofde ik mezelf.

Beneden liep Fiona rond met een gezicht alsof ze de laatste walvis hadden geharpoeneerd. Het was zaterdag en Ray was naar zijn werk gegaan, wat niet had gehoeven. Ik ging aan de keukentafel zitten en speelde maar wat met mijn eten. Ik had geen honger en dacht telkens aan de pruik. Ik tikte met mijn tenen op de vloer. En toen kregen Fiona en ik onze eerste ruzie. Ik knalde bijna uit elkaar.

Als het me in het tehuis allemaal te veel werd, was het alsof er een spijkerbom ontplofte, zoals Miko het noemde. Ik smeet alles in het rond wat ik te pakken kon krijgen. Kussens. Stoelen. Schoenen. Dan greep Miko me vast, terwijl mijn armen maaiden als molenwieken en ik vloekte en trapte. Dat was een fijn gevoel. En dan zei hij: 'Tijd voor de matras, Holly.' Ik rende de kamer uit, naar boven, rukte de matras van mijn bed en schopte ertegen, zo hard ik kon. Miko zei dat ik het elke ochtend en avond moest doen, ook als ik niet boos was. Ik stampte met mijn zolen op de springveren en zakte ten slotte kletsnat van het zweet in elkaar. En dan konden de anderen me niet meer zo makkelijk boos krijgen.

Maar bij die lunch met Fiona vergat ik de matrastruc. Bovendien was mijn matras hier zo dik dat alleen King Kong hem zou kunnen optillen. Ik wilde gewoon dat Fiona een beetje opschoot en wegging. Dan kon ik de pruik passen.

'Weet je zeker dat je niet mee wilt om boodschappen te doen?' zeurde ze. 'Dan kun je zelf pizza's kiezen.'

'Nee, ik blijf liever hier. Echt.'

'Heel zeker?'

'Ja. Het is nat buiten.'

'Er bestaan paraplu's, hè? Je bent al twee dagen niet buiten geweest.'

Ik schoof een schijfje tomaat op mijn bord heen en weer. 'Het is koud.'

'Hou je niet van kou?'

'Neu.'

'Heb je liever de zomer?'

Begrijp je nu wat ik bedoel met dat gevraag? 'Ja. Ik denk het.'

Fiona pakte nog een boterham van de broodplank. 'Het is misschien raar, maar ik hou van de winter. Januari is mijn lievelingsmaand.'

Wanneer donderde ze nou op?

'Ik wou dat je mijn brood eens probeerde, schat.'

Ik kan het niet uitstaan als mensen me 'schat' noemen terwijl ze me nauwelijks kennen. Daar word ik razend van.

'Ik heb het zelf gebakken,' zei ze. 'Van goudeerlijk meel. Volkoren.'

Ik stak een vinger in mijn keel. 'Bweh.'

'Doe nou niet, Holly. Alsjeblieft.'

Ik deed het nog een keer.

'Laat dat! Ik maak al dit gezonde eten, maar jij eet alleen rotzooi. Het is een wonder dat je ingewanden nog niet verstopt zitten met al die goedkope, kunstmatige troep die je naar binnen werkt.'

'Altijd beter dan die dure, aanstellerige troep die jij naar binnen werkt,' zei ik, en ik deed of ik over het brood heen kotste.

Fiona graaide het weg en liep naar de broodtrommel op het aanrecht. Het broodmes liet ze liggen.

'Duur, aanstellerig,' zei ik, terwijl ik met mijn vinger naar de plaats zwaaide waar het brood had gelegen.

'Toe, Holly. Hou op. Anders bel ik Rachel. Misschien moeten we eens met elkaar praten.'

De spijkerbom ontplofte. Ik greep het broodmes en slingerde het naar het keukenraam. Ik miste en het mes viel kletterend in de spoelbak. Toen stond ik op, pakte mijn stoel en ramde de poten tegen een keukenkastje.

'Dat shitbrood van je, en die shitkeuken,' krijste ik. 'Zeg het maar. Je wilt dat ik oprot, en Ray ook. Jullie haten me. En ik haat jouw bekakte shitbrood, en ik haat jou ook. Ik ben je kind niet. Ik wil jouw kind niet zijn. Ik ben mama's kind, niet van jou.'

Fiona kwam naar me toe en legde haar handen op mijn schouders. 'Holly! Kalm nou.'

Ik vond het vreselijk dat ze me aanraakte met haar gestoorde hete handen. Ik duwde haar opzij en rende de keuken uit.

Ik ging naar boven, smeet de deur van mijn kamer dicht en deed hem op slot. Een paar minuten later klopte ze aan.

'Holly?'

'Ga weg, mevrouw Lege-Eierstok.'

Stilte.

Toen vroeg ze: 'Wat zei je?'

'O, niets.'

'Nee, het was niet niets, Holly. Hoe noemde je me?'

Ik gaf geen antwoord.

Ze ging weg. Tien minuten later kwam ze terug.

'Ik ga nu boodschappen doen,' riep ze door de deur. Haar stem klonk beverig, met tranen erin. 'Ik hoop dat je je verontschuldigingen aanbiedt als ik terugkom.'

Er volgde een stilte. Toen hoorde ik haar weggaan.

Zodra beneden de voordeur dichtsloeg, maakte ik mijn deur open en liep regelrecht naar boven om de pruik te pakken.

6

Ik ben Solace

Ik rende de trap op, haalde de pruik uit de la en ging snel terug naar mijn kamer. Al die tijd had ik het gevoel dat er iemand naar me keek. Een spook, een gevaarlijk spook, dat me wilde grijpen.

Ik deed de deur achter me op slot om het tegen te houden, maar het kwam onder de deur door.

Ik ging voor de spiegel zitten, met mijn hoofd omlaag, en ademde uit. Daarna trok ik de pruik over mijn hoofd.

Ik richtte mijn hoofd op en staarde in de spiegel. Het leek of de kamer donkerder werd. Buiten was de regen overgegaan in sneeuw. Het haar van de pruik en mijn eigen dunne bruine haar zaten langs de randen door elkaar heen. Ik was half Holly Hogan en half een of andere gek die ik niet kende. Kalm blijven, meid, zei ik tegen mezelf. Doe normaal.

Met bonzend hart stopte ik de donkere lokjes weg. Daarna borstelde ik de fantastische asblonde haren naar voren, en weer naar achteren, met een rechte scheiding.

Toen ik klaar was, legde ik de borstel neer en haalde diep adem. Ik deed het lampje bij het bed aan, zodat de schaduwen verdreven werden naar de hoeken van de kamer. Toen keek ik weer in de spiegel.

Daar was ze.

Het nieuwe meisje.

Ze was drie jaar ouder dan Holly Hogan, heel mooi en cool, een echte glamour girl.

Grace had me alles verteld over glamour girls. Ze hebben slanke heupen en blazen rookkringen naar alle hoza's. De wereld ligt aan hun voeten.

In de ogen van dit meisje zag ik iets van mama. Ze was een mengeling van

Holly en mevrouw Bridget Hogan. Maar ze steeg ver boven ons uit, op weg naar een ander leven. Ze was zo'n meisje naar wie je alleen kunt kijken, en dat je nooit kunt zijn.

Haar ogen knipperden. Haar mond ging open. Ik pakte de borstel weer en haalde mama's oude barnsteenring uit het schelpendoosje. Hij was te groot voor mijn ringvinger, daarom schoof ik hem om de volgende. Ik hoorde mama's stem in mijn hoofd. Ze praatte tegen me, zoals ze altijd deed als ik haar haren borstelde, vroeger in de hemelflat. Ik borstelde en staarde in de spiegel naar de andere kant, waar de wolken ver boven de grond tegen het raam botsten. Mama glimlachte terug, in haar halterjurk die haar bleke schouders bloot liet en haar benen omhelsde boven haar knieën. Haar haren waren glanzende krullen, maar haar wenkbrauwen waren donker, fronsend. Ze had haar kleurloze drankje in haar ene hand en haar lipstick in de andere. Ze maakte zich klaar om naar haar werk als danseres te gaan en ik borstelde erop los.

'Hoe zullen we haar noemen, Holl?' vroeg mama.

We keken naar het nieuwe meisje.

'Ik weet het niet. Het moet iets moois zijn.'

We dachten na.

Toen kwam mama op een idee. 'Herinner je je nog dat paard? Dat jij toen hebt uitgekozen, en waar Denny geld op heeft gezet?'

Ik zag gespierde, kastanjebruine paarden rennen met hun nek gestrekt als een giraf. Voorop liep het mooiste paard van de wereld, anders dan de andere, bijna goudkleurig met wit, palomino. 'Sister Solace,' fluisterde ik. 'Ik weet het nog, mama.'

'Dit meisje heeft dezelfde kleuren, hè?'

'Ja.'

'En ze is snel?'

'Een echte winnaar.'

'Dan noemen we haar Solace, Holl. Naar het paard.'

'Solace?' De lokken streelden mijn wangen. 'Ja. Naar het paard, mama. Kon niet beter. Dat ben ik. Een meisje dat Solace heet. Ik ga mijn eigen gang. Ik laat me door niemand vertellen wat ik moet doen.'

'Zo is dat, Holly. Jij snapt het.' Ze legde een hand op die van mij. 'Niet stoppen met borstelen, Holl, voor geen goud.'

Ik borstelde als een bezetene verder. 'Solace,' zei ik bij elke slag. 'Ik ben

Solace.' En ik was Solace. Ik liep de nacht in, met mijn duim omhoog en een sigaret in mijn hand. Ik ging naar Ierland, waar mama was en waar het gras groen was. Ik wist niet zeker in welke stad ze nu woonde, maar ik zou haar wel vinden. Vast en zeker. Ik zou de Ierse Zee oversteken en in de zachte motregen de Ierse heuvels in lopen, terwijl ik de frisse lucht opzoog zoals mama had beloofd. Niemand kon me tegenhouden. Ik zou, ik zou...

Beneden sloeg een deur dicht.

De hemelflat verdween. Ierland verdween. Ik was weer in Tooting Bec. Buiten dwarrelde de sneeuw omlaag en binnen was het doodstil.

Fiona was al terug van het boodschappen doen. Ik glimlachte als Solace, met een gouden lichtkring rond mijn blonde kruin. Ik zag er goed uit, maar ik was een bad girl. Zeker weten.

'Holly,' riep Fiona uit de hal beneden. 'Kom eens kijken wat ik voor je heb.'

Ik deed de pruik af en verstopte hem onder mijn kussen, met Rosabel erbovenop. 'Ik ben zo terug,' beloofde ik.

Ik deed de deur van het slot en ging naar beneden. Mijn hand danste over de trapleuning.

'Hoi, Fiona,' zei ik terwijl ik tegen de keukendeur leunde.

Ze had een pizza met ham en ananas gekocht.

'Die vind ik het lekkerst. Dank je.' Ik had zo'n honger dat ik hem wel meteen wilde opeten.

'Zullen we vergeten wat er is gebeurd, Holly?'

Fiona keek me recht aan. Ik kon niet wegkijken. 'Ja hoor, Fiona,' zei ik. 'Oké.'

'Maar je mag me niet meer zo noemen.'

Ik stond bij de keukendeur en friemelde aan de rits van mijn sweater.

'Dat doe je niet meer, hè Holly? Alsjeblieft?'

'Nee, Fiona.' Toen zei ik iets wat Miko vaak zei. 'Ik heb het gehoord.'

Fiona glimlachte. 'Dank je. Het doet me nog steeds pijn dat ik geen kinderen kan krijgen.' Ze pakte een zak mandarijnen en gaf me er een. 'Ik heb een paar jaar geleden kanker gehad.'

Ik nam de mandarijn aan, ook al had ik er een hekel aan om ze te pellen. 'Kanker?'

'Ja, het is nu in orde. De dokters zeggen dat ik helemaal genezen ben. Maar ik heb chemotherapie gehad. Weet je wat dat is?'

Ik gooide de mandarijn als een bal van de ene hand in de andere. 'Uh-huh.'

'Ze geven je medicijnen en je haar valt uit en je voelt je beroerd. Soms kun je daardoor geen kinderen meer krijgen.'

Ik staarde naar de kuiltjes in de oranje schil. 'Rot,' bracht ik met moeite uit.

'Ik leef tenminste nog, maar het was niet wat Ray en ik wilden. Dus noem me niet meer zo, Holly. Alsjeblieft.'

'Oké,' zei ik.

Fiona knikte en begon de rest van de boodschappen uit te pakken. Ik keek naar haar. Toen legde ik de mandarijn neer, pakte een zak en haalde er blikjes met tomaten uit. Ik zette ze in het kastje waar ze volgens mij hoorden.

'Die tijd...' ging Fiona verder, terwijl ze de diepvries opendeed en er bevroren vis in legde. 'Dat waren de langste achttien weken van mijn leven. Ik droeg een pruik om niet te laten zien hoe kaal ik was.'

'Een pruik?'

'Ja, asblond. Ik vond het vreselijk. Mijn wangen leken er rood door, maar niet gezond rood, eerder vlekkerig. Ik probeerde het met hoofddoekjes, maar dan kun je net zo goed KANKERPATIËNT op je voorhoofd laten tatoeëren. Het leek wel een nachtmerrie die iemand anders overkwam. Ken je dat gevoel, Holly?'

'Nou en of.'

'Ik hield me groot in die tijd. Maar na afloop was ik een wrak. Ik moet rillen als ik eraan terugdenk. Ik dacht dat mijn haar nooit meer zou aangroeien, maar dat deed het wel. Alleen anders.' Ze pakte een lok van haar golvende haren vast en glimlachte naar me vanaf de andere kant van de keuken. 'Vroeger was het steil. En moet je nu zien. Wat is het ergste wat jij hebt meegemaakt?'

Ik was bezig een pak bruine rijst in een kastje te zetten, en mijn hand verstijfde halverwege. Ik staarde naar Fiona's lichtbruine haar, dat leek op dat van mij. De gesloten afdeling. De avond uit met Grace en Tim, toen de politie me oppakte. Opgesloten zitten in die trein met al die lallende zatlappen, toen ik was weggelopen. De herinneringen tuimelden over elkaar heen. Die andere keer, met mama en Denny in de hemelflat...

Ik kon geen woord uitbrengen. Fiona streek haar haren achter haar oor.

Ik legde de rijst op het aanrecht en liep snel langs haar.

Ik zei niets, alsof ze me geen vraag had gesteld.

'Holly?' riep Fiona me na. En toen iets over de mandarijn die ik was vergeten. Maar ik was al halverwege de trap.

Ik wilde weer naar Solace gaan kijken, die daar boven onder mijn kussen lag.

7

Tooting Bec, vervolg

De wintermaanden gingen voorbij en ik was stijf bevroren terwijl alle anderen langs me flitsten. Ik wist alleen dat de tijd voorbijging door het tik-tak-pech-gehad van de antieke klok op de schoorsteenmantel van de Aldridges. Het was een duur, verguld ding dat de uren sloeg en voortkroop alsof het leven gesmoord was in watten.

Fiona bleef drie dagen per week werken. Ze gaf leesles aan achterblijvertjes en had het altijd over boeken, en waarom ik die niet las. Dat deed Miko ook. Soms zei hij handenwringend tegen ons: 'Ga toch een boek lezen of zo.' Hij had ons net zo goed kunnen vragen om naar Mars te vliegen. Tegen Fiona zei ik dat ik tijdschriften las en dat die beter waren dan boeken, omdat ik boeken saai vond. Bij Fiona stonden ze tegen alle muren, hele planken vol. Ik had er nog nooit zoveel gezien. Ik werd er gek van, omdat ze me aan school deden denken.

School was een hel. De leraren waren ellendelingen, stuk voor stuk. Mevrouw Atkins, de lerares Engels, was het ergst. Toen ik erbij kwam, zou de klas net aan *Jane Eyre* beginnen nadat ze de *war poets* hadden afgerond – je weet wel, soldaten van lang geleden die oorlog waardeloos vonden. Ze zeurden maar door over prikkeldraad, gasaanvallen en maten die er geweest waren. 'Holly,' zei mevrouw Atkins, 'luister je wel?'

'Ja, mevrouw.' Bij Engels was er een oneven aantal kinderen, en de banken stonden twee aan twee. Dus zat het nieuwe meisje in haar eentje achteraan.

'Wat heb ik daarnet gezegd?'

'Dat de *war poets* hartstikke goed zijn.'

'Ja, maar wat zei ik precies, Holly?'

Ik trok denkrimpels. 'O ja. Dat het zo goed is dat ze allemaal dood zijn, mevrouw.'

De klas lachte. Mevrouw Atkins keek alsof ik een mes in haar oog had gestoken.

'Leuk hoor. Heel geestig. Pak ons nieuwe boek, Holly. *Jane Eyre*. De schrijfster daarvan is ook dood. Dat zul je wel fijn vinden. Lees maar eens voor, vanaf het begin.'

Ik pakte de paperback met een plaatje van een vrouw in een ouderwetse lange jurk, die onder een boom liep, en dacht: Jezus, niet nog zo'n berg oude shit. Er was een lange inleiding en de klas giechelde terwijl ik onhandig verder bladerde, op zoek naar het begin. 'We konden die dag nooit niet gaan wandelen,' las ik zo verveeld en plat mogelijk. De klas stikte van het lachen. Dus neuzelde ik toonloos verder over de regen, de vensterbank en het vogelboek. Zo'n gezeur heb je nog nooit gehoord. Ik was blij toen die vervelende neef John een boek naar haar gooide. Wat een gejammer van die Jane. Toen zei mevrouw Atkins dat ik moest stoppen, omdat het pijn deed aan haar oren. De hele klas lachte en ik wilde het stomme boek naar haar hoofd gooien, maar de bel ging, dus deed ik het niet.

Later die ochtend probeerde het ruigste meisje van de klas, dat Karuna heette, me te grazen te nemen. Ze ging op een stoel staan, hield haar boek ondersteboven en las een stukje voor met mijn accent. Daarna sprong ze op de grond en zei dat het pijn deed aan haar oren, en de hele klas lachte weer. Ik had toevallig een papier voor de administratie in mijn handen en dat rukte ze los, en ze begon het voor te lezen. Ik probeerde het terug te pakken, maar het was te laat. Ze had ontdekt dat ik niet normaal was. Aan de ene kant stond mijn naam, Hogan, en aan de andere kant had Fiona ondertekend met Aldridge. Karuna schreeuwde door de klas dat ik een onecht kind was. Ik greep haar bij haar nek en rukte aan haar dikke, blonde haren. Ze gilde en op dat moment kwam meneer Preston binnen. Ik werd bijna van school gestuurd. Ik moest naar de directeur en hij zei dat ik nog één kans kreeg. Toen ik terugkwam in de klas, moest ik van meneer Preston waar iedereen bij was tegen Karuna zeggen dat het me speet.

'Het spijt me, Karuna,' zei ik zo slijmerig mogelijk. We keken elkaar woedend aan en herkenden een soortgenoot. Ik glimlachte en ze grijnsde terug. In de pauze gaf ze me een sigaret en we wisselden telefoonnummers uit. Maar de volgende dag deed ze of ik niet bestond, omdat haar vriendje Luke terug was van Tenerife. Dat zei hij tenminste, maar hij was niet bruin. Dus was ik weer het nieuwe meisje. Een eindeloze feestdag, zoals mama het noemde.

Als ik 's avonds thuiskwam, ging ik op de bank liggen met de afstandsbediening en mijn pizza. Ik vroeg Fiona of ik een tv mocht op mijn kamer, en ze zei nee.

'Iedereen op school heeft een tv op zijn kamer,' zei ik.

'Wij zijn niet iedereen.'

Lege-Eierstok, dacht ik. 'Ja, maar...'

'Oké. Ik zal erover nadenken.' Misschien belde ze met Rachel of zo. In elk geval zei ze de volgende dag dat ik een klein tv'tje mocht hebben. Ik moest elke week een klein deel afbetalen van mijn zakgeld, en om elf uur moest hij uit. Dat beloofde ik.

Ik had nog nooit een tv op mijn kamer gehad. En ook niet zo'n flitsend mobieltje. Het was prepaid, maar heel licht en opklapbaar. Fiona kocht het voor me omdat mijn vorige kapot was. Ik stuurde Trim en Grace meteen een sms, zodat ze mijn nieuwe nummer wisten. H TG, FYN HIER. LIEFS HOLL.

Maar het was niet *fyn hier*.

Je zou denken dat ik op een wolk liep met die kamer, het mobieltje en de tv. Wat kon een zorgenkindje nog meer willen? Maar er klopte iets niet. Ik hoorde daar niet in dat huis. Ik leek wel een junkie in een yogaklas.

Neem nou de sigaretten.

Ik zei niet tegen Fiona en Ray dat ik rookte. Ze waren zo schoon en netjes. Daarom hing ik uit het raam van mijn kamer om te roken.

Op een zaterdag vond Ray een peuk van me.

'Hé, Holly,' riep hij omhoog. Hij was in de achtertuin en mijn raam stond op een kier. Ik stak mijn neus naar buiten. Er zat een trilling in de lucht, alsof er ander weer aankwam. Ray glimlachte naar me zoals mensen doen als het niet hun bedoeling is dat je hen aankijkt.

'Wat?'

Hij hield een bruinige peuk omhoog en draaide hem als een parapluutje uit een cocktail tussen zijn vingers heen en weer. 'Is die van jou?' vroeg hij.

'Nee hoor. Nooit gezien.'

'Heeft de wind hem hierheen geblazen?'

'Ja, Ray,' zei ik. 'Dat moet het zijn. De wind. Een harde vlaag.'

Hij schudde zijn hoofd alsof het niet goed ging met de wereld, en gooide de peuk in de bak met tuinvuil. 'Ik heb zelf vroeger ook gerookt,' zei hij terwijl hij de heggenschaar opraapte.

'O ja?'

'Ja. Maar toen begreep ik dat het stom is. Daarom ben ik gestopt.' Hij begon aan de heg.

De hele middag klonk het geluid van Ray's schaar. Ik sloot het raam en deed de gordijnen dicht om meer privacy te hebben. Ik zou een moord hebben gedaan voor een sigaret. Maar door de betalingen voor de tv hield ik geen cent over om ze te kopen. Daarom deed ik alsof ik een sigaret opstak, en speelde de glamour girl Solace. Ik lakte mijn nagels vuurrood en wiegde voor de spiegel met mijn pruik op en mijn bikinitopje en mijn kortste rokje aan. Mama danste vroeger in de beste clubs van Mayfair en verdiende er een smak geld mee. Ze had een strakke bodysuit met lovertjes en struisvogelveren, je kent dat wel. Ze is nu vast ergens in Ierland in een chique tent aan het werk, dacht ik, en daar ga ik ook naartoe. Terug naar Ierland, waar mama en ik zijn begonnen. Ik stap bij haar op het podium en dan treden we samen op.

Als je me vraagt of ik me Ierland herinner, is het net een schilderij dat nog nat is en uitloopt in de regen. Ik was vijf toen we met de boot naar Engeland vertrokken, en ik herinner me alleen korte flitsen. Een vlieg die rond een gele lampenkap zoemt, gelach uit een andere kamer, een hoge torenspits, en verderop in de straat een brug waar ik takjes in een zwarte rivier liet vallen.

Daar woonde mama nu. Zij was daar en ik was hier en dat was niet de bedoeling. Ze moest snel weg uit Engeland en wilde mij later laten komen, maar voordat ze dat kon doen, haalde Jeugdzorg me weg en nu kon ze me niet meer vinden. Ik was al lang van plan om in mijn eentje terug te gaan en haar zelf te zoeken. Ik zou haar vast in haar uitdagende danskleren terugvinden op een affiche ergens in Cork, de stad waar we vandaan kwamen. Als ik danste met de pruik op, leek ik ouder. Het was alsof ik een stap dichterbij kwam. Ik kom eraan, mama. Ik wiegde met mijn heupen. Ik vind je, waar je ook bent. Beneden klonk het knippen van Ray's schaar. Toen veranderde het licht. Het leek of de pruik ook een andere kleur kreeg. Opeens kletterde er een hagelbui tegen de ruit achter het gordijn.

Ik glimlachte. De hagel was een teken.

Voel de wind in je gezicht, meid, zei ik in gedachten tegen mezelf. De mannen kijken naar je, autobanden suizen over de weg, en de velden, groene heuvels en kleine steden flitsen langs. Zie je Ierland, met de speelse honden, glinsterende straten en mensen die de hele nacht dansen in de bars, opgewonden door de muziek en de grappen?

Stel je voor dat je vrij bent, Holly. Stel je voor.

8

Tafelmatjes

Kort daarna kwam Rachel langs om te kijken hoe het met de plaatsing ging. We zaten met zijn allen op twee grote banken in de woonkamer, waar boven de lage tafel een heel aanstellerige lamp hing met acht gebogen armen en kale gloeilampjes aan de uiteinden. Het leek wel een gestoorde octopus. De antieke klok op de schoorsteenmantel tikte. Fiona, Ray en Rachel dronken thee en hun kopjes stonden netjes op onderzetters van raffia, die Fiona tafelmatjes noemde. Ik had cola, ook op zo'n ding. Fiona babbelde opgewekt alsof we een gelukkig gezinnetje waren. Ze vertelde niet hoe ik haar die keer had genoemd.

'Ben jij gelukkig, Holly?' vroeg Rachel.

'Ja hoor,' zei ik.

'Mis je het tehuis?'

'Neu.'

'Miko is weg. Wist je dat?'

Het had geen verrassing voor me moeten zijn, maar dat was het toch. 'Weg?'

'Hij heeft een nieuwe baan met jonge delinquenten. In het noorden, aan de overkant van de rivier.'

In gedachten zag ik Miko de rivier oversteken. Poef, weg was hij, omdat we volgens de regels geen contact meer mochten hebben. Al die verhalen over zijn krankzinnige Ierse familie in County Mayo – 'waargebeurd, ik zweer het' – zijn duizend-en-één neven en nichten, en de keer dat hij dwars door Frankrijk was gelift – allemaal weg. Zijn ontbrekende voortand, zijn geschoren hoofd en hoe hij met een voetbal langs Trim kon pingelen – weg. Nu jongleerde en zong hij voor een stel zwakzinnige crimineeltjes die hem op zijn gezicht zouden timmeren zodra ze de kans kregen.

'Wil je dat ik een boodschap overbreng?' vroeg Rachel.

'Een boodschap?'

'Ja, "veel succes met je nieuwe baan" of zo. Jullie waren toch vrienden, Miko en jij?'

'Zo'n beetje.'

'Nou, dan heb je toch wel een boodschap voor hem?'

Ik haalde mijn schouders op. Fiona vroeg of ik nog cola wilde. Ik zei ja. Ze ging naar de keuken om het te halen. Er viel een stilte. Ray vroeg Rachel of ze hier uit de buurt kwam. Ik zoog een wang naar binnen en tekende met de punt van mijn schoen een spiraal in het dure roomkleurige kleed. Met elke kring werd Templeton House kleiner. Grace, Trim en Miko waren drie vage punten en de jaren daar een droom die nooit echt was geweest. Ik zag Miko naar het noorden gaan en de brug oversteken terwijl Big Ben erop los galmde. En daarna Grace die haar elegante loopje oefende om een topmodel te kunnen worden. En Trim, met zijn plannen om miljonair te worden met een keten casino's die hij zou openen. Grace en Trim die samen plannetjes maakten en mij nooit sms'ten. En Miko die niet eens een kaartje schreef om afscheid te nemen. Fiona kwam terug met mijn cola. Ik stond op en liep zonder iets te zeggen langs haar.

Op mijn kamer zette ik Solace op. Ik borstelde haar en zag mama weer in de spiegel. Ze zei dat ik moest doorborstelen voor heel Ierland, en ik zweer dat ik de lift brommend langs de verdiepingen omhoog hoorde komen in de hemelflat om haar mee te nemen naar haar nachtwerk.

'Holly?'

Het was Fiona, die op mijn deur klopte.

'Rachel is weg,' zei ze. 'Ik moest je goedendag zeggen van haar. Is alles oké?'

'Ja hoor.'

'Je bent heel stil.'

'Ja.'

'Mag ik binnenkomen?'

Ik stopte de pruik onder mijn kussen en ging op het bed liggen, met Rosabel tegen mijn buik gedrukt. 'Nou, goed dan.'

Haar gezicht verscheen om de hoek van de deur. Ze was bleek en glimlachte. 'Dat ziet er gezellig uit.'

'Dank je.'

'Is alles goed, Holly? Is alles echt goed met je?'

'Ja, best.'

'Je ziet eruit alsof je hebt gehuild.'

Ik friemelde aan Rosabels oren.

'Ray en ik vroegen ons af of je een keer naar Templeton House wilt. Ray kan je erheen brengen. Volgend weekend misschien?'

Ik haalde mijn schouders op alsof het me niets kon schelen. Maar misschien zou het weer net als vroeger zijn, als ik Grace en Trim terugzag. Ik vroeg me af wat Grace zou zeggen van mijn nieuwe skatertop. Ze zou natuurlijk zeggen dat ik de rits tien centimeter omlaag moest doen. En Trim zou zijn taekwondo op mij oefenen.

'Oké. Als jij dat wilt, Fiona.'

Ze glimlachte. 'Goed zo, Holl. Ik zal het tegen Ray zeggen.' Ze deed de deur achter zich dicht.

Holl?

Alleen mama noemde me zo.

Ik smeet Rosabel hard tegen de deur, op de plaats waar Fiona's gezicht net nog was.

Maar het volgende weekend was ze haar belofte niet vergeten, en Ray bracht me met de auto naar Templeton House.

Het was nog hetzelfde, maar anders. Dezelfde geur, met andere mensen. Zonder Miko voelde het leeg aan. Grace fladderde met haar wimpers, streek langs haar modellenhals en vertelde over haar nieuwe vriendin, Ash. Het was Ash dit, Ash dat. Haar stem klonk vaag en ze lachte zonder reden. Ik begreep dat ze wiet had gerookt. Daar was ze kort voor mijn vertrek mee begonnen.

'Waar is Trim?' vroeg ik.

'Trim? Die zit weer in de gesloten afdeling. Waar anders, verdomme? Het is zijn eigen schuld.'

'Waarom? Wat heeft hij nu weer gedaan?'

'Autobanden doorgesneden of zo. Weet ik het? Wat maakt het uit? Trim en ik – dat is voorbij,' zei ze toonloos. Toen lachte ze weer.

Ik wilde op mijn oude kamer gaan kijken, om te zien of de gordijnen van goudlamé er nog hingen, maar die was nu van Ash. Uiteindelijk zei ik maar dat mijn pleegvader buiten op me wachtte en dat ik niet langer kon blijven.

'Dag, Grace,' zei ik.

Ze staarde naar haar nagels alsof ze net bij de manicure vandaan kwam. De nagelriemen waren rood en beschadigd. Ze had er met haar nagelschaartje aan gepulkt. Ze streek weer langs haar nek.

'Tot gauw, hoop ik,' zei ik. Ik liep dicht naar haar toe omdat haar ogen volliepen alsof ze ging huilen. Ik wilde haar vlechtjes aanraken, maar durfde niet. 'Grace?'

'Je bent een kreng, Holly.' Ze zei het alsof ze spuugde.

'Een kreng? Ik?'

'Ja, jij. Met je bekakte nieuwe pleeggezin. Een rijke bitch. Zo noemde Trim je, voordat ze hem weghaalden.'

'Dat ben ik niet.'

'Echt wel.'

Ik haalde mijn schouders op. 'Zo geweldig zijn mijn pleegouders niet, Grace.'

'Nee?'

'Nee.'

'Waarom niet?'

'Ik weet het niet. Ze laten me niet met rust.'

'O nee?'

'Nee. Ze zeuren.'

'Zeuren?'

'Ja, de hele dag. Het gaat maar door.'

'Hoe dan?'

'Ik mag niet eens iets op tafel zetten zonder matje.'

Grace trok haar neus op. 'Een matje?'

'Ja, je weet wel. Tegen kringen. Ze noemen het tafelmatjes.'

'Tafelmatjes?'

'Ja, dat zullen ze wel chic vinden.'

'Tafelmatjes,' zong ze spottend, en ik lachte. 'Trek die rits omlaag, Holly. Je lijkt wel een non, verdomme, met dat ding tot aan je kin.'

Ik trok de rits omlaag tot mijn bh.

'Meneer en mevrouw Tafelmatje,' zong ze nog eens, en we gierden het uit.

'Dus het is daar niet zo fijn als hier?' Grace fladderde met haar handen om zich heen.

'Nee. Op geen stukken na.'

'Waarom kom je dan niet terug?'

Ik deed of ik een rookwolk uitblies. 'Ash zit nu in mijn kamer, weet je nog?'

'O ja. Ash. Nou en?'

'Ik heb geen zin om mijn kamer met haar te delen.'

'Ze is hier maar tijdelijk.'

Ik friemelde met mijn rits en schuifelde met mijn voeten. 'Misschien kom ik terug als ze weg is.'

'Huh. Dat lieg je.' Templeton House was een draaihek dat maar één kant op ging. Dat wisten we allebei. 'Je komt niet terug, Holly. Ik voel het. Je bent een rijke bitch.' Ze stond op van de bank en zweefde de kamer uit voor ik kon antwoorden. Haar bruine schouders schokten. Ik wist niet of ze lachte of huilde.

'Grace,' riep ik. 'Niet weggaan.'

De deur sloeg achter haar dicht. Ze vertrok uit mijn leven alsof ze er nooit was geweest.

'Grace?' gilde ik. 'Alsjeblieft. Kom terug.'

Geen antwoord.

Je bent zelf een bitch, dacht ik, en ik schopte tegen de stoel waarop ze had gezeten. Ik keek de kamer rond die ik zo goed kende. Wat hadden we daar vaak ruzie gehad over het programma waar we naar zouden kijken. Ik dacht aan Trim, die zo enthousiast was over de film *Titanic*. De tv stond nu aan met het geluid heel zacht, en de weervrouw in een vreselijk hozajasje wees naar de kaart van Engeland en grijnsde zoals ze altijd doen, vooral als het gaat regenen. Ik vond de afstandsbediening en zette de tv uit. Daarna schopte ik de afstandsbediening onder de bank zodat niemand hem kon vinden.

Net goed, dacht ik.

Als Ray en Fiona me terugsturen naar hier, maak ik me van kant, dacht ik.

Ik verliet die kamer voor het laatst en liep in mijn eentje de voordeur uit, zonder dat er iemand was om goedendag te zeggen. Ik had alleen Ray, die buiten op me wachtte. Ik liep de oprit af terwijl ik naar de gebarsten tegels met onkruid ertussen keek. Ik had zin om het huis in de fik te steken.

Ik stapte bij Ray in de auto en staarde op de terugweg uit het zijraam. Ik wilde niet dat Ray de tranen in mijn ogen zag. Hij zette muziek op van een of andere rare band waarvan ik nog nooit had gehoord, en neuriede mee. De muziek klonk zacht en dromerig, en een vrouw zong over een piloot in een vliegtuig die haar naam aan de hemel schrijft.

'Ja, vast,' mompelde ik. 'Dat doet toch niemand.'

Ray glimlachte. 'Maar kun je het je voorstellen?' Hij wuifde met een hand naar de lucht. 'HOLLY HOGAN, daar boven in zulke grote letters dat iedereen het ziet. Je naam geschreven met wolken, Holly.'

Ik bleef uit het raam kijken. Ik zei niets.

'Nou?' vroeg hij toen de song afgelopen was. 'Hoe vond je het?'

Ik wist niet of hij de song bedoelde of het tehuis. Ik barstte in snikken uit en kon niet meer ophouden. In gedachten zag ik mijn naam aan de hemel, net als in de song, en ik stelde me voor dat Miko ergens in het noorden van Londen omhoogkeek en het zag en aan me dacht. Ik kon het niet verbergen. Ik keek doodongelukkig. Ray zette de auto stil en gaf me een zakdoek, maar hij zei niets. Ik voelde dat hij wachtte.

'Was het zo erg, Holly?' mompelde hij na een tijdje.

Daardoor begon ik bijna weer te huilen, maar hij startte de motor en reed verder, en ik slikte het in zodat ik het gevoel kreeg dat ik te veel gegeten had. Hij zei niets meer. Ik schaamde me dood en vervloekte Grace, Trim, Miko, het tehuis en Jeugdzorg. Daarna vervloekte ik de Aldridges en Rachel. En toen mezelf, de song, de tafelmatjes en alles wat ik vanuit de auto zag. Ik was blij toen er een stortbui losbarstte.

9

De weg

Die avond smokkelde ik Ray's wegenatlas van Groot-Brittannië mee naar mijn kamer. Aan het werk, Holly, dacht ik. Ik keek over welke wegen je uit Londen weg kon, naar het noorden, zuiden, oosten en westen. Ik vond een lange kronkelslang naar het westen. Sommige wegen kwamen bij elkaar en stopten. Deze, de A40, niet. Oxford. Cheltenham. Mijn vingers volgden de steden. De weg ging helemaal door Wales. Abergavenny. Llandovery. Llandeilo. Carmarthen. Ik zei de namen hardop, al had ik geen idee hoe ik ze moest uitspreken. De weg bereikte de zee bij een plaats die Fishguard heette. Vandaar ging een stippellijn verder over het water alsof het een weg was. Dat was de route van de pont. Bij de kust van Ierland, aan de rand van de kaart, botste de stippellijn op Rosslare.

Ik zag mezelf op een heuvel boven Fishguard, met blatende schapen om me heen. In de diepte waren akkers, golvende rechthoeken met hoge gewassen. Daarachter was een grote muur van blauw. De zee, waar witte zeilen westwaarts voeren naar Ierland.

Ik zette de pruik op en werd Solace van de A40, en de A stond voor avontuur en de pruik glansde in het avondlicht. Ik was Solace de Onstuitbare, de swingende glamour girl met haar scherpe tong, en ik liep de rode hemel tegemoet, klaar om te liften. Ik stak de zee over en ging in Ierland aan land. Daarna liep ik een heuvel op, naar mama toe, en zoog de frisse ochtendlucht op. Zo ging ik in gedachten naar die heerlijke dag aan de overkant van de zee waar het gras groen is. Die avond en alle avonden van de weken erna volgde ik die weg.

10

Het strijkijzer

Het was zomer voor ik mijn droom in daden omzette. Een warme dag in juni, de dag voor mijn verjaardag. Ik opende mijn raam boven de paarsgrijze daken en haalde diep adem. De lucht boven het park was helder. Het was zo'n dag die je naar buiten lokt om te spelen.

Toen ik beneden kwam, was Fiona een overhemd voor Ray aan het strijken. Hij was laat voor zijn werk en liep ongeduldig door de keuken terwijl hij zei dat ze moest opschieten. Ik ging met mijn iPod aan tafel zitten en begon aan een kom cornflakes. Fiona en Ray maakten niet vaak ruzie. Ten eerste was Ray er bijna nooit, en ten tweede zei hij niet veel. Fiona klaagde dat ruziemaken met Ray net zoiets was als praten tegen de kapstok. Maar die ochtend maakten ze ruzie, en hoe! Ik zag hem met zijn handen door de lucht zwaaien alsof hij verdronk. Hij graaide naar het overhemd voordat Fiona klaar was met strijken. Nieuwsgierig deed ik mijn oortjes uit.

'Ik ben nog niet klaar,' snauwde Fiona.

'Laat maar, Fi. Ik moet weg.'

'Er zitten nog kreuken in de mouwen.'

'Ik hou mijn jasje wel aan. Dan zien ze het niet.' Hij trok het overhemd van de strijkplank.

'Het is veel te warm voor een jasje.'

'Op het werk hebben we airconditioning.'

'Anders draag je nooit een jasje.'

'Ik heb een belangrijke vergadering.'

'Een vergadering?'

'Nou ja, zoiets, Fi. Eigenlijk is het een gesprek.'

'Een gesprek? Wat voor gesprek?'

Ray haalde zijn schouders op en trok het gekreukte overhemd aan. 'Gewoon een praatje. Niets om...'

'Wat voor gesprek?'

'Over een baan.'

'Wat voor baan? Waar?'

'Bij ons bedrijf. Maar dan in de vestiging in het noorden.'

'In het noorden?' krijste Fiona.

Ik dacht aan Miko die de rivier was overgestoken naar het noorden. Misschien ging Ray dat ook doen.

'Je hebt mij niets gezegd,' schreeuwde Fiona. 'Je hebt het me niet gevraagd.'

'Het is maar een...'

Fiona zette het strijkijzer met een klap neer en liep woedend de keuken uit. Maar het strijkijzer viel van de plank en kwam hard op de grond terecht, bijna op Ray's voeten. Er ging een laatje open in mijn hoofd. Ik verstijfde. Ray sprong opzij, en toen zag hij me kijken en glimlachte. Het was een vreemd glimlachje, alsof hij en ik aan de ene kant stonden en het strijkijzer en Fiona aan de andere kant. Ik smeet het laatje dicht. Ik deed de oortjes weer in en zette de muziek heel hard. Daarna duwde ik de cornflakes van me af en rende naar boven. Mijn hart bonsde op de maat van Storm Alert.

Het strijkijzer was een teken.

Fiona kwam naar beneden toen ik naar boven ging.

'Wat heb je een haast!' jammerde ze. 'Waarom heeft iedereen vandaag zo'n haast?'

Ik haalde mijn schouders op. In mijn kamer trok ik mijn schoolkleren aan. Daarna sloop ik weer naar beneden en liep naar de deur. In gedachten was ik mezelf al ver vooruit.

'Dag, Fiona,' riep ik alsof alles normaal was. Misschien klonk het te hard door de muziek. Fiona kwam de gang in en bewoog haar lippen alsof ze iets zei.

'Wat, Fiona?' brulde ik. Ik deed de oortjes uit.

'Ik dacht wel dat je me niet kon horen met die dingen in. Het lijkt wel of ik tegen een muur praat.' Ze kwam naar me toe. 'Luister, Holl...'

De spijkerbom ontplofte bijna.

'Ik wou alleen zeggen dat ik vandaag laat thuiskom,' zei Fiona. 'Heb je je sleutel bij je?'

'Ja.'

'Ik heb iets bijzonders te doen voor een bijzondere gelegenheid. Dus je komt thuis in een leeg huis. Eet maar een boterham. Ik ben er om een uur of zes.'

Ik knikte. Ze keek me met een raadselachtig glimlachje aan. 'Dag, Fiona,' zei ik, en ik liep de deur uit.

Om naar school te gaan moest ik door het park lopen en dan de bus nemen. Maar die ochtend sloeg ik af naar de vijver. Ik ging op een kapotte bank zitten en wachtte. Mijn handen beefden toen ik dacht aan het hete strijkijzer dat vlak naast Ray's voeten op de grond viel. Ik hoorde een gesis in mijn hoofd, alsof iemand water op het strijkijzer goot. Ik moest moeite doen om te ademen. Het leek wel of ik een plastic zak over mijn hoofd had. Zonder de frisse lucht en het groene gras zou ik gestikt zijn. De zon scheen fel en helder. Ik sloot mijn ogen omdat de hemelflat weer terugkwam met de stemmen van Denny en mama, het geruzie. Hun stemmen gingen op en neer als de lift. Ik concentreerde me op het snateren van de eenden, die naar elkaar beten. De hele wereld vocht en ik werd erdoor geplet.

De shit van die Aldridges kan ik niet aan, dacht ik. Ze zijn mijn soort niet. Ik moet hier weg. Nu.

Ik zag Miko voor me, met zijn grijns en zijn kaalgeschoren hoofd. Hij liep met opgestoken duim langs een stoffige autoweg en reisde dwars door Frankrijk. Ik dacht aan de A40 die door Engeland kronkelde, als een rivier op weg naar de zee.

De A van avontuur.

Ik glimlachte en liep terug over het gras, terwijl ik in mijn zak aan de huissleutel voelde.

Ik had genoeg van school en alle ellende daar. Van Tooting Bec, Dikke Nek. Van Rachel met haar regels en rapporten. Ik had overal genoeg van. Nu ging het alleen nog om mij en de pruik. Samen waren we een meisje dat Solace heette. En Solace ging weg. Vandaag nog.

De laatste keer dat ik was weggelopen, had ik niets meegenomen. Die fout maakte ik niet nog eens.

Ik deed de voordeur open met mijn sleutel en ging het huis in. Fiona was al weg naar haar deeltijdbaan, en Ray was naar zijn werk met plannen, gebouwen en andere hozashit in de stad. En zijn gesprek. Ik deed de voordeur achter me dicht. De gang gaf me een troosteloos gevoel, als een wachtkamer. Het was stil in huis. Ik wilde zo snel mogelijk weg, maar ik moest mijn spullen halen, en vooral de pruik. Deze keer pakte ik het weglopen serieus aan. Ik had een plan.

Ik liep naar boven en haalde mijn mooie schoudertas met de hagedissenprint tevoorschijn. Dit stopte ik erin:

tandenborstel,
iPod met oortjes,
lipstick en spiegeltje,
borstel,
mobieltje,
roze, pluizige portemonnee.

Toen liep ik naar het schelpendoosje op de schoorsteenmantel en haalde mama's barnsteenring eruit. Het was een soort amulet, goudbruin en in de vorm van een ouderwetse grafsteen. In het midden was een zwart vlekje dat op een insect leek. Miko zei dat het een fossiel was uit een wereld heel lang geleden, voor eeuwig daar opgesloten. 'Voor zo'n ring hakken ze je vinger af, Holl,' hoorde ik mama's stem in mijn hoofd zeggen. Ik glimlachte en stopte hem veilig in het geheime ritsvakje van de hagedissentas.

Daarna pakte ik Rosabel van het kussen. Ik aaide haar versleten oren. 'Woef!' zei ik.

Het kostte me moeite om afscheid te nemen, maar ze was te groot voor de tas. En met de pruik was ik zeventien, te oud om een knuffel mee te slepen. Ik zette haar terug op het bed en haar plastic snuit zakte tussen haar voorpoten.

Ik trok mijn beste skaterspullen aan, met mijn nieuwe top en mijn sportschoenen.

Toen liep ik het huis door op zoek naar geld. Ik had al zes pond in mijn eigen portemonnee. In een van Ray's jasjes vond ik een tientje en in zijn broekzakken een heleboel kleingeld. Dat zou hij vast niet missen. Ik kwam tot vierentwintig pond. Daarna haalde ik de wegenatlas tevoorschijn. Ik scheurde bijna de bladzijden eruit waarop de A40 stond. Maar toen ging er een lampje branden in mijn hoofd. Dombo. Als je hem zo achterlaat, weten ze waar je naartoe gaat. Dus nam ik het hele ding mee. De delen die ik niet nodig had kon ik later wel weggooien.

In de keuken stond de strijkplank nog, met het strijkijzer erop. Het was alsof mijn hersenen onder een deken verdwenen. Ik zag vaal wit licht, bijna grauw, als een gloeilamp kort voor hij stukgaat. 'Tijd om ervandoor te gaan, meneer en mevrouw Lege-Eierstok,' zei ik hardop. Ik liep terug naar de woonkamer, die uitgestorven leek. Ik was alleen met de antieke klok en de onderzetters. Jullie hebben me voor het laatst op mijn kop gegeven omdat ik mijn beker rechtstreeks op tafel zet, alsof kringen een zonde zijn, dacht ik.

Ging ik echt weg?

Zeker weten.

De vorige keer dat ik wegliep, eindigde ik in de gesloten afdeling.

Maar deze keer ga ik een heel nieuw leven tegemoet in een heel ander land.

Ik zette de pruik op. Boven de antieke klok hing een spiegel in een gouden lijst. Ik boog mijn hoofd naar voren en mijn eigen haar verdween onder de rand. Ik trok de pruik omlaag, voor mijn oren en over mijn slapen, en keek op. Ik leek wel een Shetlandpony, met dat haar voor mijn ogen. Dus trok ik de pruik weer naar achteren en borstelde hem. Ik deed roze lipstick op en daar was de glamour girl, die wist wat ze wilde. Daar was Solace.

Ik tuitte mijn lippen en stuurde mezelf een zoentje. Solace was zelfverzekerd. Het kon haar niet schelen wat andere mensen dachten. Ze had bakken met vrienden, verspreid over half Ierland. Ze wist waar ze naartoe ging. Zonder aarzelen schreef ik een briefje:

Beste Fiona en Ray,
Ik ben naar Tenerife om in een club te werken. Mijn vriend Drew heeft me kaartjes gestuurd, dus jullie hoeven me niet te zoeken. Tot ziens en bedankt voor alles.
Holly.

Ik bekeek het briefje en zette nog een x voor 'Holly'. Toen legde ik mijn sleutel netjes op het briefje en liep het huis uit. De tas hing op mijn rug, in mijn hand hield ik een onzichtbare sigaret en boven mijn hoofd zweefde een blonde kroon. De weg lag voor me open.

11

De metro

Ik liep de zeven treden af, de straat in, mijn neus achterna. Met lange, soepele passen en fantastisch haar alsof ik rechtstreeks van de kapper kwam.

Aan de Mercutia Road hadden ze een regel dat je voordeur een andere kleur moest hebben dan die van de buren. Rood. Blauw. Zwart. Moddergrijs. Weer blauw. Nooit twee dezelfde naast elkaar. Als ik het mocht zeggen, dacht ik, zou ik de hele handel knalroze schilderen. De schuiframen staarden naar me terwijl ik langsliep. Mijn vingers jeukten om een steen op te rapen en een ruit in te gooien, maar ik dacht er op tijd aan dat ik bezig was weg te lopen. Dus ging ik de hoek om, de hoofdstraat in, op weg naar de metro. Ik was van plan zo ver mogelijk naar het westen te rijden. Elke sukkel weet dat je in de stad niet kunt liften. Ik herinnerde me dat Miko het in Frankrijk ook nooit probeerde, omdat de mensen in de steden daar dachten dat alle anderen bijlmoordenaars waren, en toch niet stopten. Ik moest naar de rand van Londen zien te komen.

Toen ik het station binnen ging, sloeg de smerige warme lucht me tegemoet. Het deed me denken aan de zondagmiddagen waarop ik met Grace en Trim had rondgezworven. Maar vandaag was het de geur van de vrijheid, de eerste stap.

Alleen zat mijn chipkaart nog in mijn schoolbroek, thuis aan de Mercutia Road. Een goed begin. Nu moest ik een kaartje kopen.

'Een kinderdagkaartje,' zei ik tegen de man achter het loket.

'Jij bent geen kind, lijkt me.'

Ik staarde hem aan. Dit was me nog nooit overkomen. Toen herinnerde ik me de pruik. Die maakte me drie jaar ouder.

'Ik ben veertien, meneer,' zei ik. 'Echt waar.'

'Geloof je het zelf?' zei hij, en hij knipoogde zo snel dat ik het bijna niet zag. Toen toetste hij iets in op zijn apparaat en het kaartje kwam eruit en ik gaf hem het geld. Hij veegde de munten naar zich toe en wenkte dat ik mocht doorlopen.

Ik nam de lift naar beneden, met een grijns alsof ik de hoofdprijs had gewonnen bij een schoonheidswedstrijd. Geloof je het zelf? Toen nam een windvlaag bijna mijn pruik mee. Ik hield hem nog net op tijd vast met mijn vrije hand en lachte als een ontsnapte gek. Dit is vrijheid, meid, zei de wind uit de tunnel.

Ik kon meteen instappen. Balham. Clapham South. De metro daverde naar het noorden, traag in de bochten, piepend als krijt op een ouderwets schoolbord. Het rook naar olie en zweet. Er lagen overal kranten, nog van het spitsuur. Ray was ook deze kant op gegaan. Ik zag hem voor me terwijl hij zich vasthield aan een stang, met een moe en leeg gezicht zoals op de meeste avonden. Zijn pas gestreken overhemd zou weer kreukelig worden. Een gesprek over een baan in de vestiging in het noorden? Opeens begreep ik dat het niet Noord-Londen betekende zoals bij Miko, want Ray werkte al ten noorden van de rivier. Het betekende het noorden van het land. Als hij de baan kreeg, zou hij verhuizen samen met Fiona, en waar bleef ik dan? Nergens. Ik beet op mijn lip. Maar goed dat ik ervandoor was gegaan. Toen hoorde ik Ray's stem alsof hij naast me zat. Je naam geschreven met wolken, Holly. Ik schudde het van me af en keek om me heen. Er was niemand. Alleen een man met scheuren in zijn spijkerbroek en tatoeages op zijn armen, die naar me staarde. Het enige wat eraan ontbrak was een bijl. Hij had een kaal hoofd, dikke wangen en grijze stoppels. Ik keek naar mijn voeten. Hij vloekte als een gestoorde en ik gluurde naar de noodrem, maar toen reden we het volgende station binnen.

Clapham Common. Er stapten massa's mensen in. Poeh, opluchting.

Clapham North. Hier was ik met Fiona geweest toen we in de stad kleren gingen kopen, en eerder al vanuit Templeton House, als ik met Trim en Grace rondzwierf in de metro. We kochten drank en sigaretten en stelden ons aan op de perrons. Trim deed of hij een korporaal in het leger was en salueerde. Hij raapte een stok op en sloeg naar de lampen aan het plafond, alsof het soldaten waren die onder zijn bevel stonden. Grace hing op de banken als een junkie die op sterven ligt. En ik las de kleine lettertjes op de reclames, die zeiden dat je ook al je geld kon kwijtraken in plaats van dikke winst te maken. Met andere woorden, niet op de grote letters letten als je hersenen hebt, echte hozashit. We verveelden ons dood. Soms stapten we ergens uit waar we nog nooit waren geweest, zoals Dagenham Heathway. Daar verwachtte ik eigenlijk een park met braamstruiken en gewapende rovers, maar het waren gewoon wegen met vrachtwagens. Je kreeg koppijn van het zonlicht, dus gingen we weer naar beneden en maakten een rit in een volgende metro.

Waterloo. Na Waterloo ga je onder de rivier door. Toen ik dacht aan al het smerige water dat boven me kolkte, voelde ik mijn keel dichtknijpen. Als het nou de tunnel in stroomde en kortsluiting maakte, zodat de metro ontplofte en iedereen verdronk of gebraden werd of allebei? Ik kneep mijn ogen dicht en deed of ik kauwgum had. Maar hoe hard ik ook kauwde, het hielp niet. Ik dacht dat ik flauw zou vallen. Ik deed mijn ogen open. Die getatoeëerde vent staarde weer naar me. Ik moest uitstappen. Nu meteen. Ik greep mijn tas en drong naar de deur.

De getatoeëerde man vloekte nog steeds tegen zichzelf.

Ik werd omringd door armen, lichamen en ademende mensen.

Embankment. De deuren gingen open en ik sprong op het perron. Ik wrong me tussen de mensenmassa door en nam de roltrap. Buiten haalde ik diep adem.

Ik stond bij een bloemenstalletje.

'Alles goed met je?' vroeg de bloemenman.

Ik schrok. 'Ja, bedankt. Kon niet beter.' Ik wees naar een emmer vol grote paarse bloemen met een geel hart. 'Hoeveel kosten die?'

'De irissen? Voor jou twee pond, schat.'

'Een andere keer misschien.' Ik wuifde met mijn hand alsof ik bij de koninklijke familie hoorde, en liep weg. Ik deed alsof ik wist waar ik naartoe ging, maar dat was niet zo. Ik voelde de ogen van de bloemenman in mijn rug prikken, dus schoot ik een pad naar rechts in, zodat hij me niet meer kon zien.

Zo kwam ik in een fantastische tuin terecht, waarvan ik niet wist dat hij bestond. Het was alsof ik binnen tien meter van de hel naar de hemel ging. Echt iets voor Londen.

12

Londen aan mijn voeten

Het was een geheime tuin. Er waren ligstoelen waar niemand op zat, perken met gele, blauwe en rode bloemen, een sproeier op het gras, en nergens wandelende mensen, behalve ik.

Misschien was ik uit de echte wereld gestapt en was dit een droomtuin. Maar toen vond ik een café met plastic stoelen en hier en daar mensen. Frambozenijsthee, dacht ik. Ik ging naar binnen en kocht het, en ook een miljonairscake met veel chocolade en karamel. Zo'n ding dat Grace meteen na het eten zou uitkotsen omdat ze nu eenmaal een topmodel wil worden.

Buiten zocht ik een tafeltje ver van alle hoza's. Ik goot de helft van de ijsthee naar binnen en verslond de cake. Toen leunde ik naar achteren, met mijn ogen dicht. Ik zag de gloeiende zon door mijn oogleden. Een vogel tjilpte. De auto's suisden langs de oever van de rivier. Er was zoveel leuks te doen in Londen. Ik glimlachte.

Wat nu?

Ik kon met een bus terugrijden over de rivier om bij Grace langs te gaan. Misschien was ze aan het spijbelen en wilde ze het goedmaken. Dan konden we samen shoppen rond Oxford Circus of in Covent Garden. Op een dag als vandaag konden de straatmuzikanten een smak geld verdienen. Misschien konden we voor hen rondgaan met de pet en zoveel ophalen dat ze ons een flink percentage gaven. De mensen op de galerij zouden papieren vliegtuigjes vouwen van biljetten van vijf pond en ze joelend en juichend naar ons omlaag laten vliegen. Grace en Solace, de glamour girls. De straatmuzikanten zouden ons meenemen als mascottes en we zouden met hen langs de Europese hoofdsteden trekken. Voor ik het wist, zou ik kunnen heupwiegen voor de Eiffeltoren.

Toen begon Big Ben te slaan en ik was terug in Londen. *Dong, dong, dong.* Eén, twee, drie.

Soms, als de wind de goede kant op woei, konden mama en ik Big Ben in de hemelflat horen. Dan telden we samen de slagen, terwijl mama van haar drankje nipte op het balkon. Vier, vijf. Mama's kamerjas woei op als de sluier van een bruid, alleen zwart, niet wit, en eronder kon je haar zalmkleurige slipje zien. 'Het enige wat ik ooit heb gewild,' zei ze, 'is Londen aan mijn voeten.' Ze lachte alsof ze net de eerste regel van een song had bedacht.

Zes, zeven, acht. Vanaf het balkon van de hemelflat was Londen een gezoem in de verte, van miljoenen andere levens. Mama wees naar de plaats waar de zon onderging. 'Daar ligt Ierland, Holl. Stel je voor. De lucht. Al dat groen. Het gelach. Daar heb je ruimte om te ademen, Holl. Ooit gaan we terug. Jij en ik samen. We zoeken een stel oude vrienden op en beginnen een nieuw leven. We nemen een hond. En een bungalow voor ons alleen. En een uitzicht waar je je leven voor zou geven. Niet deze troosteloosheid. Ooit doen we dat, Holl. Ik beloof het.'

Negen, tien, elf. Big Ben hield op met slaan. Elf uur. Ik deed mijn ogen open. Ik was in het park, de zon brandde, mijn frambozenijsthee was half op en ik was nog niet verder naar het westen dan toen ik begon.

Wat nu? dacht ik.

Ik pakte de wegenatlas en zag dat ik midden in een reusachtige wirwar van rode, gele, zwarte en bruine wegen zat die je onmogelijk uit elkaar kon houden.

Was dit echt?

Als ze me te pakken kregen, zouden ze me meenemen en weer in de gesloten afdeling stoppen. Waar de muren je aanstaren, niemand antwoord geeft, de kamers bijna leeg zijn en stinken. Waar niemand is om welterusten te zeggen en je droomt van vallen en er laatjes met enge dingen opengaan in je hoofd. En je hoort niets – alleen de kerel die je opsluit en zegt: 'Huil maar raak, schattebout, jij gaat nergens meer heen.'

Dus besloot ik dat dit echt was en dat ze me niet te pakken zouden krijgen, van zijn leven niet. Ik had de pruik en het dagkaartje en ik ging hier weg.

Ik vond de A40 op de kaart en volgde hem terug tot in Londen. Hij liep door Oxford en veranderde toen in een dikke blauwe lijn, een snelweg. En die ging helemaal tot een plek die Shepherd's Bush heette. Van mijn tochten met Grace en Trim wist ik dat je daar met de metro kon komen. Er waren geen groene bossen en weiden met schapen en herders, maar wegen en uitlaatgassen. In gedachten stond ik al aan het begin van de autoweg en stak mijn duim omhoog.

Ik had niet veel zin om weer met de metro te gaan, maar er zat niets anders op.

Ik scheurde de bladzijden met de A40 erop uit de wegenatlas en stopte ze opgevouwen in mijn tas. Daarna stond ik op. De rest van Ray's atlas gooide ik in een afvalbak. Het voelde aan alsof ik me van een moordwapen ontdeed. Ik verliet snel het park, daalde af in het metrostation en stapte in een Circle Line naar het westen. Ik probeerde niet aan bijlmoordenaars en instortende tunnels te denken en zette Storm Alert zo hard mogelijk. Bij Notting Hill Gate moest ik de Central Line nemen naar Shepherd's Bush, maar ik had ontzettende behoefte aan een sigaret. In de winkel boven was het waanzinnig druk, dus ging ik naar buiten om een kiosk te zoeken.

De zon was weg en het miezerde. Ik hield de tas boven mijn hoofd om de pruik droog te houden. Ik keek naar de langsrazende auto's en dacht aan de Mercutia Road, mijn abrikooskleurige slaapkamer en mijn tv, die met een leeg scherm wachtte tot hij werd aangezet. Nog even en ik zou de metro hebben genomen terug naar Tooting Bec. Einde verhaal. Maar er gebeurde iets verbijsterends. Een wonder. Bij een halte vlak voor me stopte een lange, hoge rode dubbeldeksbus waarop OXFORD stond.

'Gaat deze bus echt naar Oxford?' vroeg ik aan een hozavrouw achter in de rij.

'Ik hoop het wel,' zei ze. 'Daar moet ik naartoe.' Ze klonk alsof ze een hete aardappel in haar mond had.

Ik stapte achter haar in.

'Oxford,' zei ik tegen de chauffeur. Ik vroeg niet om een kinderkaartje. Ik wilde geen problemen omdat ik alleen reisde.

Hij keek niet eens. 'Enkel of retour?'

Zou ik genoeg geld hebben? 'Enkel.'

'Dertien pond,' zei hij.

Ik was blij dat ik geen sigaretten had gekocht. Ik betaalde en hij gaf me een kaartje. Ik klom naar boven in de bus en vond een paar lege plaatsen achterin. Ik klopte de regen uit mijn pruik en wiegde met mijn heupen. Solace, je bent een bad girl, dacht ik. Buiten goot het nu. Ierland was een stap dichterbij. De motor startte en de bus zette vaart op een weg met drie rijbanen. We lieten Londen achter ons.

13

Het meisje in de bus

De bus zwaaide van de weg en stopte bij een metrostation dat Hillingdon heette. We waren nu aan de rand van de stad. De straten hadden plaatsgemaakt voor viaducten en fabrieken. Het was daar een woestenij. Het herinnerde me eraan hoe ik vroeger uit het raam van de hemelflat naar de oude zwarte torens staarde en mijn hand tegen de ruit hield. Ik was aan de ene kant van het glas, de wereld aan de andere kant, en ik vroeg me af hoe het zou zijn als ik van plaats verwisselde.

De bus stond stil en even later kwam er een meisje de trap op met een nette rugzak en korte, bruine krullen. Ze liep naar me toe en ik keek strak naar buiten omdat ik niemand naast me wilde hebben. Maar het meisje stopte toch bij mij.

'Zit hier iemand?' vroeg ze. Alweer iemand die bekakt praatte.

'Neu.'

'Dank je.'

Ze deed haar rugzak af en ging zitten. Er droop regen van haar krullen en aan haar onwaarschijnlijk kleine voetjes droeg ze lage, zwarte veterschoenen zoals je van een non zou verwachten.

'Jezus,' zei ze, 'wat een hondenweer.'

'Kun je wel zeggen, ja.'

'Ga je naar Oxford?'

'Ja.'

'Ik ook. Studeer je daar?'

Ik streelde de pruik en glimlachte. Ik weet niet wat me bezielde. 'Ja,' zei ik. Holly Hogan die in Oxford studeerde? Laat me niet lachen. Mevrouw Atkins had me opgegeven. Maar ik kon tenminste lezen. Dat kon je van Grace en Trim niet zeggen. Ze kenden amper het alfabet. Ze lieten mij altijd de reclames voorlezen in de metro en dan hadden zij iets heel anders begrepen.

'Ik studeer er ook.' Het meisje was een en al glimlach. 'Aan St John's. En jij?'

'St Peter's?' zei ik zomaar op de gok, en ik lachte alsof het een grap was.

'O,' zei ze. 'Daar ken ik niemand. Ik heb begrepen dat het eten slecht is, maar de bar fantastisch.'

Bestond het dan echt?

Ik knikte. 'Waardeloos en geweldig.' Mijn accent was veranderd van grof Zuid-Londens naar hete aardappels tot de tiende macht, maar deze trut van St John's scheen het niet te merken.

'Ben je eerstejaars?' vroeg ze.

'Ja.'

'Ik ook. Hoe vind je het?'

'Matig.'

'Matig?'

'Ja. Je weet wel. Het eten.'

Ze lachte. 'O ja. Het eten. Bij ons is het best goed.'

'Nou, bij ons is het vreselijk.' Ik blies. 'Weet je wat ik gisteren in mijn creamcracker vond?'

'Nou?'

'Een made of zo. Hij kroop uit een van de gaatjes.'

'Jakkes. Misschien was het een graanklander. Heb je het gemeld?'

'Nee hoor. Ik heb hem gewoon op de grond gegooid.'

'Ik geloof niet dat ik nog in de hal zou willen eten als mij dat overkwam,' zei het meisje.

De hal? Wat bedoelde ze daar nou mee?

Ze maakte haar rugzak open en haalde een versleten paperback tevoorschijn. Ik zag zoiets als 'Tacitus' staan op de voorkant.

'Vind je het erg als ik lees?' vroeg ze.

'Natuurlijk niet.' Ik had nog nooit meegemaakt dat iemand toestemming vroeg om te mogen lezen. Maar toen ze zich in haar boek verdiepte, wou ik bijna dat ik er ook een had. Ik heb eerder gezegd dat ik boeken saai vind, maar ik lees heus wel eens. Als er niemand kijkt. Geen ouderwetse verhalen waarin de mensen de hele tijd in en uit rijtuigen stappen. Daarbij verveel ik me te pletter. Maar echte verhalen over nu kan ik wel aan. Relaties en seks. Moorden. Mensen met problemen.

Vorige week had mevrouw Atkins geregeld dat er een schrijver langskwam op school. Misschien dacht ze dat we het geweldig zouden vinden. Ze probeerde ons wijs te maken dat hij een soort beroemdheid was. Maar toen hij de klas binnen kwam, leek hij een echte hoza die verliefd was op zichzelf. Hij was mager en droeg zo'n brilletje met van die smalle glazen. Nu gaat hij eindeloos doorzeuren over zijn ideeën, de mensen in zijn boeken en zijn uitgevers, dacht ik gapend. Hij ging zitten en keek naar ons alsof hij niet wist hoe hij moest beginnen. Toen zei hij opeens: 'Geloven jullie dat er nog wonderen gebeuren?'

De klas giechelde. Er gingen een paar vingers de lucht in. Plotseling praatten ze allemaal over wonderen die ze hadden meegemaakt. Oma die stierf aan een hartaanval en toch weer haar ogen opendeed. Dat ze op vakantie hun beste vriendin waren tegengekomen op Mallorca. En dat Crystal Palace met 3-0 van Manchester United had gewonnen.

De schrijver knikte. 'Maar het grootste wonder van de moderne tijd is dat ik hier ben met mijn boek *De elf levens van Todd Fish*,' zei hij. 'Ik had een hekel aan school en heb pas goed leren lezen toen ik dertien was. Dat komt doordat ik dyslexie heb.'

Dat beweert Trim ook. Maar volgens mij is het gewoon een smoes omdat hij dom is of lui.

'Als je toen had gewed dat ik later schrijver zou worden, had je makkelijk tienduizend tegen één kunnen krijgen,' zei die man. 'Dan was je nu rijk.'

Ik zat naar hem te kijken en beet op mijn wang. De kans dat ik schrijver word is nog niet één op de miljoen, dacht ik. Maar weet je, toen liet hij ons opschrijven of we in wonderen geloofden, en hij vond mijn stukje zo goed dat hij het voorlas in de klas. Iedereen moest lachen en hij noemde mijn stijl 'lapidair' – wat dat ook betekent. Ik heb het bewaard. Dit heb ik geschreven:

Ik geloof niet in wonderen. Mama zei altijd dat ik een wonder was. Maar nu weet ik waar baby's vandaan komen en dat het niet waar is. Een wonder is het als mijn vriend Trim de bal afpakt van Miko die bijna zo goed is als een professional. Of als ik ook ananas op mijn pizza heb, behalve ham. Het heeft niets met God te maken. Het is gewoon geluk. Geluk is niet hetzelfde als een wonder. Geluk komt langs als je lang genoeg wacht, net als bus 68. Het overkomt je gewoon. Zoals ik hier nu op school ben in deze klas op deze dag en dit uur, en over wonderen moet schrijven voor die man die zegt dat het een wonder is dat hij hier is omdat hij als kind zijn d's en b's verkeerd om schreef. Voor hem is dat een wonder. Voor mij niet. Hoi.

Hij scheen het niet erg te vinden dat ik hem voor gek zette. Waarschijnlijk grinnikte ik hardop toen ik eraan dacht, want het meisje in de bus keek op van haar boek. Ik staarde vlug uit het raam naar de vangrail en ze las weer verder. Ze tuurde naar haar boek alsof het een schatkaart was. Ik gluurde opzij om te ontdekken wat er zo geweldig aan was, maar ik zag alleen woorden waar ik niets van snapte.

Toen legde het meisje het boek neer. 'Ze kregen Thule in zicht, maar alleen uit de verte,' zei ze.

'Wat?'

'Sorry, dat staat hier,' zei ze lachend. 'Het is een fantastisch boek. De Romeinse geschiedkundige Tacitus schrijft dat Agricola – zijn schoonvader – rond Brittannië is gevaren. In het ijzige noorden ziet hij land en denkt dat het Thule is. Maar ze hebben geen tijd om erheen te gaan, of het is te koud. Daarom varen ze verder. Daar heeft Agricola vast de rest van zijn leven spijt van gehad. Voor hem is Thule zoiets als de Heilige Graal.'

'Laat eens zien,' zei ik.

'Hier staat het.' Ze wees me het woord aan in het boek.

'Het is een mooie naam,' zei ik.

'Heb jij er een? Een plaats als Thule?'

'Huh?'

'Waar je altijd al naartoe gewild hebt?'

'O, ja. Natuurlijk. Zo'n plaats heb ik. Ierland.'

'Ierland?'

'Ja. Daar ben ik geboren. Maar ik ben er al eeuwen niet meer geweest.'

'Het schijnt heel mooi te zijn.'

'Ja, het is mooi. Groen, zoals ze altijd zeggen, met veel gras. Wat is jouw plek?'

Het meisje sloot haar ogen en glimlachte. 'Egypte,' zei ze. 'Het Dal der Koningen.'

'Met de mummies en zo?'

'Ja. Maar de plaats waar ik naartoe wil, is niet het Dal der Koningen nu, maar in 1922. Ik ben met Howard Carter bij de opgraving van het graf van Toetanchamon. Als eersten sinds het afgesloten is en de tijd stil is blijven staan, kruipen we naar binnen, en we zien goud glinsteren...' Ze hield haar ogen dicht en bewoog haar hand alsof ze op de tast door een donkere gang liep.

'Dat is een bijzonder Thule.'

Ze deed haar ogen open. 'Je vindt vast dat ik niet goed snik ben. Dat komt ervan als je klassieke talen doet. Wat doe jij?'

'Ik ben *Jane Eyre* aan het lezen,' zei ik. Mevrouw Atkins zou trots zijn geweest als ze het hoorde. We waren nu bij het deel waar die zeurpiet Jane wegrent over de heide omdat Rochester zijn krankzinnige vrouw op zolder heeft verborgen. Stom hè?

Het meisje lachte. 'Ik bedoel: wat studeer je? In Oxford.'

'O,' giechelde ik. 'Frans.' Het was het enige wat er in me opkwam. Wel raar, want aan Frans heb ik een nog grotere hekel dan aan Engels.

'Frans?'

Ik knikte.

'Moderne talen, bedoel je?'

'Ja.'

'Je moet er toch twee doen?'

'Twee?'

'Twee talen.'

'O, ja. Natuurlijk.'

'Wat is jouw tweede?'

'Iers.'

'Iers?'

'Ja.'

'Ik wist niet dat je in Oxford Iers kon studeren.' Haar bruine ogen gingen wijd open.

'Ja hoor. Sinds kort.'

'Geweldig. Echt hartstikke goed. Kon je al wat Iers voor je begon?'

'Ja. Ik zei toch dat ik er ben geboren. En mijn moeder is Iers.'

'Spreekt ze het?'

'Natuurlijk.' Net zo goed als Russisch.

'Zeg eens wat. Toe, ik wil het graag horen.'

De bus maakte een bocht en we waren niet meer op de snelweg. De airconditioning was uit en er klonken overal stemmen en gelach. Mijn oren gloeiden.

'In uch san, doonan micall noondee,' zei ik.

'Te gek. Wat betekent het?'

'Het betekent: zijn we er nou nog niet, verdomme?'

Het meisje lachte. 'Zo is dat. Ik heet trouwens Chloe.'

Ik glimlachte. 'Ik ben Solace.'

'Solace?'

Ik knikte.

'Mooie naam. Maar hij is niet Iers, hè?'

'Nee,' zei ik. 'Het was een idee van mijn vader.'

'Je vader?'

'Ja. Hij is Engels. Niet Iers zoals mijn moeder. Hij is schrijver.'

'Wow. Mijn vader is gewoon CEO. Ik wou dat hij ook schrijver was.'

CEO. Wat was dat nou weer?

'Hoe heet hij?' vroeg Chloe. 'Dan kan ik zijn boeken zoeken.'

'Todd Fish,' zei ik.

'Fish? Is dat jouw achternaam?'

Jezus. Solace Fish? Liever niet, zeg. 'Nee,' zei ik snel. 'Dat is de naam die hij op zijn boeken zet.'

'Zijn *nom de plume* bedoel je?'

'Zoiets, ja,' zei ik. 'Of eigenlijk zijn schrijversnaam.'

Misschien kwam het doordat ik vergat bekakt te praten, maar Chloe keek me vreemd aan. 'Ik wist niet dat er verschil was tussen...' Ze zweeg even en haalde haar schouders op. 'Nou ja, jij studeert Frans.'

Ik was knalrood geworden. Chloe las verder in haar boek over Thule en de Heilige Graal. De bus kwam bij een rotonde en er was een wegwijzer naar Oxford en allerlei andere plaatsen, waar ik nog nooit van had gehoord.

We gingen langzamer rijden. Mensen schuifelden, gingen verzitten en kletsten. We reden de stad in. Oxford, ik kom eraan, dacht ik. De bus reed door een grauwe straat zoals er zoveel zijn. Maar toen reden we weer over een rotonde en over een brug, en opeens was Oxford daar, alsof ik een klap in mijn gezicht kreeg: een grote gele toren, gele muren, groene bladeren en jonge mensen die liepen alsof de wereld van hen was – hoza's voor ze oud waren. Een gearmd paar was helemaal in zwart en wit gekleed. Hun toga's hadden mouwen als de vleugels van een vleermuis.

'Daar studeert mijn vriend,' zei Chloe opeens in mijn oor, terwijl ze met haar hoofd naar een groot geel gebouw wenkte. In het voorbijrijden ving ik door de poort een glimp op van een groen gazon. Midden op het gras rende een slank, zwart standbeeld met één arm in de lucht door de mooiste fontein die ik ooit had gezien. Ik herinnerde me de keren dat Trim in de achtertuin van Templeton House water sproeide naar Grace en mij, terwijl we rondrenden in onze bikini's. Hij hield zijn vinger op de slang, zodat het water alle kanten op spoot.

'Gaaf,' zei ik glimlachend.

'Volgend jaar is hij weg.'

'Weg?'

'Ja. Hij heeft een baan bij de Wereldbank. In Lagos.'

Ik had nog nooit van de Wereldbank gehoord. In elk geval had ik nog nooit een kantoor ervan gezien. En ik wist ook niet waar Lagos lag. 'Cool,' zei ik.

Chloe haalde haar schouders op, sloeg haar boek dicht en pakte haar rugzak. De bus maakte een bocht, reed hard door een paar straten met betonnen paaltjes en gebouwen zonder ramen, en wrong zich toen een plein op.

'Gloucester Green,' kondigde de chauffeur aan. Hij stopte bij een halte en zette de motor uit. Iedereen stond op, graaide zijn spullen bij elkaar en drong naar de uitgang.

Chloe keerde zich met een vage glimlach naar me toe. 'Nou, Solace. Tot ziens dan maar.' Ze schuifelde weg.

'Dag,' riep ik haar na, terwijl ze uit het zicht verdween. Toen greep ik mijn tas, stapte uit en liep heupwiegend het plein over. Ik was Solace en ik had massa's vrienden. Ik was zo opgewonden dat ik bijna werd overreden door een vertrekkende bus.

Oxford, ik kom eraan.

14

Een nieuwe look

Ik slenterde door een winkelstraat en werd bijna omvergereden door een fiets. Er waren overal fietsen. Ik werd duizelig als ik ernaar keek. Ik snap niet dat mensen daarop kunnen rijden. Volgens Trim is er niets aan als je het eenmaal kunt, maar ik heb het nooit geprobeerd. Het is net een eng circusnummer, vind ik.

Mijn mobieltje piepte. Een sms. DENK ERAAN, LAAT THUIS, F. Ja hoor, het is goed, Fiona.

Toen kwam ik langs een winkel met allemaal waanzinnige jurken. Ik had al zo lang geen jurk meer aangehad dat ik het me niet kon herinneren. Ik droeg altijd jeans met een sportieve skatertop. Ik was Grace niet met haar dure merken. Roze, ruches met bloemetjes, strakke shirtjes en rokjes pasten niet bij mij. Maar ik bleef staan en keek in de etalage. Vooral om te zien of de pruik nog goed zat, maar ik zag toch ook de etalagepoppen in krappe jurkjes met felle kleuren: oranje en turquoise met chocoladebruine vlekken.

De ontwerper had een pilletje te veel gesnoept.

Maar het was echt iets voor Solace.

Ik had nog maar vier pond. Maar ik kon ook stelen. Ik had al een paar keer iets gepikt in het Aziatische snoepwinkeltje dicht bij Templeton House. Een reep of een pakje kauwgum of zo. Maar kleren had ik nog nooit geprobeerd. In de meeste winkels zitten overal magneetstrips aan die je er alleen af kunt halen met een speciaal apparaat. Als je ermee naar buiten loopt, gaat er een alarm af. Volgens Trim moet je de kleren onder of boven de elektronische straal houden of in folie wikkelen. Hij beweert dat hij het zo vaak doet. Als het alarm toch afgaat, moet je snel de straat op rennen, zegt hij. De bewakers geven de achtervolging toch gauw op. Maar ik weet niet of hij dat verzint. Het meeste wat Trim zegt is niet waar. Hij houdt vol dat hij in een vliegtuig geboren is, en hoe groot is die kans nou? Daarom had ik nog nooit kleren gestolen.

Op de ruiten van deze winkel had iemand met een spuitbus OPHEFFINGSUITVERKOOP geschreven. Ik keek omhoog. De winkel heette Swish. Ik slenterde naar binnen en liep naar een rek achterin. Een meisje was aan het bellen alsof de telefoon aan haar hoofd geplakt zat. 'Ja, natuurlijk. Ik wilde dansen, maar hij was te laat... Ja. Als je binnen bent kun je er niet meer uit. Je krijgt geen stempel of zo in de Clone Zone... Nee. Het was waardeloos... Wat? Ja. Zo hoeft het niet meer...'

Ik pakte een jurk in mijn maat. Hij was waanzinnig – lichtgeel met mintgroene en roze wolken die elkaar achterna zaten, zonder mouwen en met dunne bandjes zodat je bh te zien bleef alsof je een echt model was. Er zat geen magneetstrip aan. Ik keek op het prijskaartje. Van vijfendertig pond voor achttien.

Ik haalde hem van de hanger en propte hem in mijn tas. Niets aan.

'Wat een smeerlap, hè? Als hij me terug wil, moet hij... Ja, dat bedoel ik... Dumpen? Nou...'

Ik stond al buiten op straat en lachte wild. Mijn geld zat nog in mijn zak, ik had een nieuwe jurk die me niets had gekost, en Swish was achttien pond armer. Allemaal omdat de vriend van dat meisje niet was komen opdagen.

Even later zag ik een groot warenhuis. Ik ging naar binnen en de roltrap op, om de jurk aan te trekken in de toiletten. Ik moest me in bochten wringen om de ritssluiting op mijn rug omhoog te krijgen. Het stonk er en door de belichting zag je eruit als een wandelend lijk. Miko zei altijd dat een schuldgevoel je achtervolgt als een vieze stank, maar ik rook geen schuld, alleen parfum van oude vrouwen. En toen ik in de spiegel keek, zag ik er helemaal niet slecht uit. O nee, Solace zag er niet slecht uit. De kleuren pasten bij de blonde pruik en je kon haar wiegende heupen goed zien. Ik vouwde mijn spijkerbroek en top op en stopte ze in mijn tas. Jij bent dood, Holly Hogan, zei ik tegen de spiegel. Ze kunnen in het hele land naar Holly Hogan zoeken en ze vinden haar toch niet, want ze bestaat niet meer. Je kunt me voortaan Solace noemen, zei ik tegen mijn spiegelbeeld.

Maar mijn sportschoenen en sokken stonden raar bij de jurk. Dus nam ik de idiote doorkijklift terug naar de begane grond. Ik stond met mijn gezicht naar de deur en toen de lift in beweging kwam, bleef mijn maag bijna achter, net als vroeger in de liften van de hemelflat. Ik kreeg geen lucht en ik zweer dat ik mama's hand op mijn schouder voelde. Jezus, Holl. De hemelflat was op de bovenste verdieping, de twaalfde. Er waren twee liften, één voor de even verdiepingen en één voor de oneven. Dus als die voor de even nummers bezet was, nam je de andere naar de elfde verdieping en liep het laatste stukje. De liften waren van metaal en stonken naar pies. Mama haatte ze. Ik lig nog liever in mijn kist dan dat ik met dit ding mee moet, Holl, zei ze vaak.

Ik viel bijna naar buiten toen de doorkijklift met een ruk stopte en opengíng. Ik was blij dat ik weer vaste grond onder mijn voeten had. Ik liep de winkel uit en zwierf verder door de straten van Oxford tot ik een kringloopwinkel met kleren zag.

Grace zegt dat mensen die kleren kopen in kringloopwinkels vrekken zijn en eruitzien als tenten. Dat gold dan zeker voor Fiona, want ze kan geen kringloopwinkel zien zonder naar binnen te gaan. Grace wil alleen splinternieuwe spullen. Maar ik ga wel eens naar tweedehandswinkels als er niemand kijkt, en soms koop ik er een T-shirt voor twee pond. Deze keer was ik niet van plan om te stelen. Niet in een kringloopwinkel. Maar ik ging naar binnen en vond zwarte sandalen in mijn maat. Er zaten hoge hakken onder en ze kostten vijf pond. Een pond meer dan ik had. Ik keek rond. De twee oude hoza's die de zaak runden, kletsten over het tennis dat binnenkort zou beginnen. Wimbledon-lawntennis noemden ze het. Dus dwaalde ik met de sandalen in mijn hand naar de deur, alsof ik wilde kijken of het nog regende. Ik bleef bij een boekenkast staan en deed of ik de titels las. Ik nam de sandalen in mijn andere hand, zodat ze die vanaf de toonbank niet konden zien. Toen slenterde ik naar buiten.

'Dag,' riep een van de hoza's me na.

Ik wuifde met mijn vrije hand en liep wiegend de straat op terwijl ik de sandalen heen en weer zwaaide aan de riempjes.

Maar nu volgde de vieze stank waarover Miko het had me op de hielen, omdat ik had gestolen uit een liefdadigheidswinkel. Daarom liep ik snel tussen een paar grote gele gebouwen door. Ik kwam bij een gazon voor een kerk, met een stenen bank. Ik ging zitten en verwisselde mijn schoenen. Toen ik opstond viel ik bijna languit op de grond. Ik deed een paar stappen. Zo lang was ik nog nooit geweest. Misschien zou ik ooit nog een paar centimeter groeien. Met de hakken zou ik Miko dan recht kunnen aankijken.

Maar toen herinnerde ik me dat hij voorgoed was verdwenen, de rivier over. Ik ging weer op de bank zitten. Ik had mijn geld nog en verging van de honger. In de klas hadden we net gelezen dat Jane Eyre te trots was om te bedelen en koude pap at uit een varkenstrog. Treurig hoor. Ik had meer dan genoeg geld voor een Big Mac, en nadat ik had gegeten, zou ik een bus zoeken. Ik zou de stad uit rijden en naar het westen gaan in mijn mooie nieuwe kleren.

Ik kocht mijn hamburger met patat en ging zitten eten op een andere bank, een heel geschift ding in de hoofdstraat – je moest half zitten en half leunen. Een of andere halvegare had die bedacht om anders te zijn. Beslist een geval van te veel pilletjes. Het deed pijn aan mijn rug.

Toen betrok de lucht en het begon te motregenen. Ik had mijn laatste frietje op, maar had nog steeds honger. Ik werd opzij geduwd door mensen die haastig langsliepen en paraplu's opstaken.

Jezus. Ik kon nergens naartoe. Ik had geen idee waar de A40 was. En ik had nog maar twee pond en nog wat over. Het was niet eens genoeg om een paraplu te kopen.

Deze stad met zijn fietsen en vleermuisvleugels werd me te veel.

Iedereen liep snel voorbij zonder me te zien.

Opeens voelde ik druppels op mijn lippen en ik wist dat het geen regen was, want ze smaakten zout. Beheers je, zei ik tegen mezelf. Ik stond op van de geschifte bank en wankelde de straat in op mijn hoge hakken. Ik dacht erover om terug te gaan naar die kerk. Daar kon ik binnen zitten zonder dat ze geld vroegen. Maar ik was blijkbaar een verkeerde kant op gegaan, want ik liep maar door zonder hem te vinden. Het was een lange weg met grote bomen. Het ging harder regenen. Toen doemde er een groot gebouw op met druk versierde ramen. Het stond een stukje van de weg af, met een grasveld ervoor. Op een bord las ik dat het een museum was, en de toegang was gratis.

Museums en ik passen niet bij elkaar. Van al die rotzooi in glazen kasten krijg ik koppijn, en niet zo'n beetje ook. Maar het regende nu echt pijpenstelen, en er zou niet veel van mijn pruik overblijven als ik niet ergens kon schuilen. Dus strompelde ik erheen en ging naar binnen.

15

Allemaal dode dingen

Een zware, houten deur leidde naar een grote zaal met veel wit licht en dinosauriërs. Ver boven me was een puntig dak van metaal en glas. Het was er warm en benauwd. Er holden kinderen door de gangpaden.

Ik kreunde. Overal waren dode dingen in vitrines. Uilen. Een struisvogel. Een vos. Iemand had ze gedood en opgezet. Gemeen vind ik dat. Ze moeten dode dieren in de grond laten rotten zoals het hoort. Een otter met grote donkere ogen liep voor een nepachtergrond van water en planten, alsof hij nog leefde. Ik stelde me voor dat hij rondscharrelde, naar eten snuffelde en een duik nam, en toen was er iemand gekomen die hem een mep op zijn kop verkocht zoals ze bij zeehondjes doen in het poolgebied. Het is wreed.

Ik bleef staan bij een dode, oude dinosauriër. Hij was reusachtig groot en had een enorme duimnagel om zijn vijanden te doden. Ik vroeg me af hoe de wereld zou zijn als mensen zulke duimnagels hadden. Waarschijnlijk zouden ze elkaar uitroeien en de laatste mens zou van ouderdom sterven zonder dat er iemand anders was om kinderen mee te krijgen. Dan konden de otters en zeehonden misschien weer naar hartenlust rondzwemmen zonder dat hun kop werd ingeslagen, en het zou een betere wereld zijn.

Daarna zag ik een ingang met een gordijn ervoor. FLUORESCERENDE MINERALEN stond er op het bordje. Achter het gordijn was het donker, met een heleboel stenen, en je kon op knopjes drukken om een lampje te laten aangaan. De stenen waren natuurlijk dood, zoals alles in dit museum, maar het leken wel edelstenen, zo mooi. En ik ben dol op edelstenen. Melkwit. Zachtpaars. Zilver. En amberkleurig, net als mama's ring. Ik dacht eraan hoe je die kon opgraven om er dure halskettingen van te maken en ermee te pronken, vooral als je Grace de glamour girl was. Ik had urenlang naar die stenen kunnen staren, maar toen ik nog maar net binnen was, kwam er een groepje kinderen achter me aan. Ze keken niet eens naar de stenen, maar renden in en uit en speelden met de lampjes. Allemaal behalve een ernstig jongetje met ronde brillenglazen. Hij kwam ongeveer tot mijn elleboog en drukte zijn neus tegen de glazen vitrine om de bijschriften te lezen. De andere kinderen kregen er algauw genoeg van en verdwenen, maar hij bleef. We tuurden samen naar de stenen.

'Ze zijn cool, die stenen,' zei ik. 'Vind je ook niet?'

'Ze zien eruit alsof ze uit de ruimte komen,' zei hij. Hij was een jaar of acht en had al hetzelfde bekakte accent als Chloe en de hoza's in de kringloopwinkel.

'Vind je?' zei ik. 'Hier staat dat deze uit IJsland komt.'

'Misschien is hij meegekomen met een meteoriet.'

'Echt niet.'

'Jawel hoor.' Hij keek me door zijn bril aan en zijn ogen werden door de glazen vergroot. 'Oorspronkelijk komen we allemaal uit de ruimte,' beweerde hij. 'Elk atoom waaruit we bestaan. Het komt allemaal van de Big Bang.'

'Je meent het.'

'Ja. Daarom kun je buitenaardse wezens geen vreemdelingen noemen,' zei hij. 'Want we zijn allemaal vreemdelingen.' Met zijn bekakte, bijna volwassen stem klonk hij alsof hij college gaf aan een zaal vol studenten.

'Als we allemaal vreemdelingen zijn, bestaan er dus wel vreemdelingen,' zei ik.

Zijn kin ging omhoog alsof zijn gedachten te groot waren voor zijn hoofd. 'Iedereen is een vreemdeling of niemand is een vreemdeling,' zei hij. 'En als iedereen een vreemdeling is, is niemand vreemder dan een ander.'

'Wow.' Over tien jaar zou hij met vleermuisvleugels door Oxford lopen en massa's prijzen voor genieën winnen. 'Ik snap wat je bedoelt,' zei ik. 'Goed hoor.'

De jongen keek op en glimlachte breed. 'Vind je dat echt?' vroeg hij.

Toen werd de kleine Einstein opeens heel verlegen, alsof hij zich herinnerde dat hij niet met onbekenden mocht praten. Hij tuurde door het glas alsof zijn leven ervan afhing. Dus liet ik hem alleen en liep glimlachend het donkere zaaltje uit. Dat was een lief jongetje, maar als hij niet gauw hulp kreeg, liep hij ernstig gevaar een hoza te worden.

Het daglicht deed pijn aan mijn ogen. Ik liep langs het skelet van een olifant naar een volgende deur. Daarachter was een heel andere afdeling, donker en volgepropt met van alles. Ik liep half zwevend rond, net als op school. Je kijkt zonder te kijken. Je schakelt je gedachten uit en staart en denkt nergens aan, er zijn alleen luchtgolven en bellen. De leraren worden er gek van. Maar het lukte me niet om niet in de vitrines te kijken, naar de snauwerige teksten op de kaartjes en de dingen die eruitzagen of ze op de vuilnisbelt hoorden. Er was zelfs een vitrine met oud touw. Echt waar. Een museum waar ze touw tentoonstellen is gewoon droevig.

Er waren totempalen, maskers en mummiekisten. En onder de vitrines waren laden, waarvan je sommige open kon maken. Ik vond een kast met toverspullen, alleen zag het er allemaal nogal versleten en vermolmd uit. Ik trok een la open en er lag een naakte pop in die gemaakt was van bruine bijenwas. En er waren naalden in zijn ogen gestoken. Jakkes. Voodoo. Wat een ziek gedoe. Ik moest bijna overgeven. Dat zou ik mijn ergste vijand nog niet aandoen. Zelfs niet die jongen van Kavanagh die mama's foto heeft verscheurd. Niemand. Ik deed de la snel weer dicht.

Toen stond ik opeens voor het masker. Het had grote, lege ogen en magere wangen, met zwart namaakhaar langs de rand, helemaal gekruld als bij een krankzinnige pop. Hij leek precies op Denny de engerd. Ik wankelde terug zoals ik gekomen was, langs de kasten en vitrines. Ik was duizelig en zag vlekken voor mijn ogen alsof de lucht troebel was. Er schoten witte flitsen door mijn beeld.

Bonzende geluiden.

Mensen.

Echo's.

Schedels.

Ik zag een damestoilet en sloot mezelf op. Ik ging zitten en deed de pruik af. Ik had buikpijn en boog voorover. Ik drukte met mijn knokkels tegen mijn ogen, maar ik zag nog steeds het masker met het krankzinnige poppenhaar. Het was tot leven gekomen en veranderd in Denny de engerd, die kwam en ging in de hemelflat en altijd problemen maakte.

Ik herinnerde me hem nog alsof het gisteren was. Hij stootte telkens zijn hoofd tegen de lamp van rijstpapier aan het plafond. En hij droeg altijd een afgeknipte spijkerbroek en een dik houthakkershemd, alsof het onder zijn middel zomer was en erboven winter. Hij had gitzwart haar dat leek op duizend kurkentrekkers en zijn ogen waren inktblauw. Bij het ontbijt bleef hij staan en werkte een kom Krispies en Shreddies naar binnen alsof ze een pistool tegen zijn hoofd hielden. Daarna legde hij twee witte vloeipapiertjes in elkaars verlengde op tafel en strooide de inhoud van een sigaret erop als een slang. Als hij zag dat ik naar hem keek, knipoogde hij. 'Hé, Holl,' zei hij dan. 'Wat ben je vandaag? Een lieverd of een lastpak?' Ik staarde hem aan. Maar achter me, uit haar slaapkamer, hoorde ik mama's lachende stem. 'Vandaag een lastpak, Denny. Zeker weten. Geen lieverd te bekennen. Opkrassen, Holl. Schiet op. Zeg tegen Colettes mama beneden dat ze je naar school moet brengen. Ik ben kapot.'

Er bonsde iemand op de deur van de wc. 'Eruit. Iedereen eruit. Het museum sluit over twee minuten.'

Ik keek op naar mijn hagedissentas, die aan de deurknop bungelde. 'Ik ben een lieverd, mama. Een lieverd,' fluisterde ik. 'Geen lastpak. Echt niet.' Maar Denny's gezicht en mama's stem vervaagden in mijn hoofd en de hemelflat verdween. Ik was terug in het heden. In Oxford. Weggelopen van huis.

Ik schudde met mijn schouders en pakte mijn mobieltje om te zien hoe laat het was. Vijf uur. Niet te geloven. De middag was voorbij en ik had de A40 nog steeds niet gevonden. Over een uur kwam Fiona thuis. Ze zou mijn briefje vinden en dan was er niets meer aan te doen. Ze zou Rachel bellen, en Jeugdzorg en de politie. Holly Hogan is weer weggelopen.

Ik streelde de pruik op mijn schoot. Als ik die ophad, kon niemand de oude Holly Hogan vinden. Gewoon doorgaan, zei ik tegen mezelf. Je gaat in je eentje naar Ierland, weet je nog? Ik zou liften, geld stelen, alles doen wat nodig was, maar ik zou doorgaan.

Ik zette de pruik op, borstelde hem voor de spiegel boven de wastafel en spatte wat water in mijn gezicht. Daarna liep ik weer de zaal met de dinosauriërs in. Er was alleen nog een suppoost. Hij keek me doordringend aan alsof hij me verdacht van een ernstige misdaad, en even dacht ik dat hij me zou vastpakken, maar toen glimlachte hij.

'Wegwezen,' zei hij met een gebaar naar de deur.

Terwijl ik langs hem liep, had ik er even spijt van dat ik niet in de toiletten was gebleven. Dan had ik een prima plek gehad om de nacht door te brengen zonder nat te worden. Ik had zelfs de doos bij de hoofdingang kunnen plunderen, waar de bezoekers geld in konden stoppen als ze dat wilden.

Maar toen dacht ik aan de pop van bruine was met naalden in zijn ogen, het masker dat eruitzag als Denny de engerd, en de zielige otter die door iemand was neergeknuppeld. Nee, dan was ik nog liever op straat. Alles was beter dan hier. En je moet de weg zoeken, weet je nog? De weg naar Ierland.

Dus trippelde ik langs de doos met geld, door de uitgang met de zware houten deur, de koele buitenlucht in. Het was droog. Er steeg damp op van het gras. De bomen waren fris en groen van de regen. Ik haalde diep adem en glimlachte. Ik had de stortbui gemist en de dode dingen achter me gelaten.

16

Onvoldoende tegoed

Ik was weer Solace de glamour girl. Ik wiegde de straat door, met rechte rug. Alleen had ik weer honger en bijna geen geld meer. Waar was de A40 en hoe kon ik daar komen?

Ik vond de weg terug naar de winkels. Ze gingen sluiten. Ik liep naar een broodjeszaak en ging naar binnen.

'Mag ik er een hebben?' vroeg ik aan het meisje. 'Gratis?' Trim had me verteld dat hij aan het eind van de dag vaak voor niets eten kreeg in winkels omdat het anders toch de vuilnisbak in ging.

Het meisje bekeek haar nagels. 'Waarom zouden we dat doen?' vroeg ze lijzig.

'Het is toch het eind van de dag?'

'We bewaren onze broodjes voor morgen.'

'Nee hoor.'

'Ik kan het niet doen. Het mag niet van de bedrijfsleider.' Ze staarde weer naar haar nagels.

'Mooie kleur,' zei ik.

'Het heet arctisch groen.'

'Cool. Net pepermunt.'

'Heb je honger?'

'Ik verga zowat.'

'Ben je blut?'

'Wat dacht je?'

'Nou, vooruit, eentje dan. Kip met avocado en mayonaise vind ik het lekkerst.'

Ik glimlachte en pakte een broodje. 'Hartstikke bedankt. Ik heet Solace, trouwens.'

‘Solace?’ Het meisje gaf me een servetje.

‘Ja.’

‘Die naam heb ik nog nooit gehoord.’

‘Nee. Ik ben naar een paard genoemd.’

‘Een paard?’

‘Ja. Een renpaard.’

‘Wow.’

‘Mijn moeder en haar vriend hadden een stal, weet je. In Ierland, met weiden en een buitenbak en zo. Ma was de trainer en hij de jockey. En ze hadden een fantastisch paard.’

‘Solace?’

‘Sister Solace. Ze won alles. We hebben een smak geld verdiend.’

‘Cool.’

‘Ja. Maar toen heeft Denny, ma’s vriend, alles vergokt. Dus hier ben ik. In Engeland. Blut.’

Het meisje giechelde. ‘Rot.’

‘Ja. Dank je. Hoe heet jij trouwens?’

‘Kim.’

‘Hoor eens, Kim, weet jij waar de A40 is?’

‘Wat?’

‘Je weet wel. De weg naar Wales.’ Kim staarde me aan alsof ik de weg vroeg naar de sterren. ‘Laat maar. Bedankt voor het broodje. Tot ziens.’

‘Hé, Solace,’ riep Kim me na.

‘Wat?’

‘Ik ga vanavond uit. Kom je ook?’

‘Waar?’

‘De Clone Zone. De nieuwe club. Waar anders?’

‘O, ja. Daar heb ik van gehoord. Maar ik ben blut, hè?’

‘Meisjes mogen gratis op maandag. Tot elf uur.’

‘Echt?’

‘Ja.’

‘Nou, dan kom ik misschien wel.’

Ik liep de winkel uit, naar de geschifte bank waar je niet echt op kunt zitten, en schrokte het broodje naar binnen. Ik had avocado nog nooit zo lekker gevonden. De kerkklokken begonnen te luiden. Ik haalde de kaart tevoorschijn en keek waar ik was. De A40 kronkelde boven Oxford langs naar het westen, en de eerste plaats na Oxford was Witney. Dus als ik de bus naar Witney nam, ging ik de goede kant op. Ik hoefde alleen maar terug te gaan naar het busstation om daar in te stappen.

Ik stond op en begon in de goede richting te lopen, dacht ik. Maar ik kwam weer bij het plein met de kerk en strompelde over de keien naar een soort gele koepel. Ik tuurde door de ruiten naar binnen, terwijl de klokken doorgingen met beieren alsof de hele stad ging trouwen. In de koepel zag ik kleine oranje bureaulampen en lezende mensen. Ze hadden net zo goed op Pluto kunnen wonen, zoals ze daar over hun boeken gebogen zaten. Het was het vleermuisvleugelparadijs.

Ik weet niet wat me bezielde, maar ik haalde mijn mobieltje tevoorschijn en begon zonder na te denken Fiona's nummer in te toetsen. Maar ik kreeg een opgenomen stem met alweer een bekakt accent.

'U hebt onvoldoende tegoed voor dit gesprek,' zei ze. Het klonk als een misdaad.

De kerkklokken werden nu helemaal gek.

De spijkerbom in mijn hoofd ontplofte bijna. Het was alsof die stem mijn toekomst voorspelde. Ik zette mijn mobieltje uit en stopte het onder in mijn tas. Daarna liep ik weg van de klokken, een nauwe straat in, waar bestelauto's geparkeerd stonden en overal oude kartonnen dozen lagen. 'De straatkrant, de straatkrant,' riep een man halverwege de straat. Hij was meer mijn type, dacht ik. Niet zoals die vleermuisvleugels in dat chique ronde gebouw. Hij had piercings in zijn oren, neus, wangen, lippen en waarschijnlijk ook zijn tong. Grace noemde zulke figuren 'magneetmensen'. Die kunnen onmogelijk hoza's zijn. Grace wilde dolgraag een knopje in haar tong, maar ze durfde het niet te laten doen en ik wilde niet mee omdat ik vast moest overgeven als ik het zag. Deze man had genoeg metaal in zijn lijf om de Titanic tot zinken te brengen.

'Dit moet je lezen,' schreeuwde de magneetman. 'De straatkrant!' riep hij weer, en hij hield een krant omhoog die eruitzag alsof hij al door honderden smerige handen was gegaan.

'Nee, dank je.'

Hij grijnsde. Hij had gaten in zijn gebit waar je met een auto doorheen kon rijden. Het deed me denken aan Colette, een meisje dat ik kende in de hemelflat. Ze woonde twee verdiepingen onder ons en we speelden ongelukje op de enge trap, door poppen zo hard en ver mogelijk te laten vallen.

Colette was de helft van haar tanden kwijt, of misschien had ze ze nooit gehad.

'Toe nou, koop hem,' zei de magneetman. 'Het is mijn laatste.'

'Ik wil wel,' zei ik. 'Maar ik ben cashvrij.'

'Cashvrij?'

'Blut.'

'Je kunt niet blutter zijn dan ik, schat. Met die kleren van je.'

Hij had gaten in zijn broek en zijn T-shirt zag eruit alsof hij het ergens had opgegraven. Ik glimlachte. 'Weet jij waar het plein met al die bussen is?'

'Gloucester Green?'

'Ja.'

'Ik zal je erheen brengen.'

'Nee, dat hoeft niet. Zeg alleen maar waar het is.'

'Het is nogal zigzag.' Hij bewoog zijn vingers snel heen en weer onder mijn neus.

'Oké. Ga maar voor. Ik loop achter je aan.'

Hij liep verder de straat in. Om de tien meter draaide hij zich naar me om en grijnsde als een gestoorde vis. 'Wat vind je van Oxford?' vroeg hij.

'Shitstad.'

'Zo is dat. Waar kom je vandaan?'

'Hampstead Heath,' zei ik.

'Ga weg.'

'Echt. En jij?'

'Ik kom uit Dudley,' zei hij op een toon alsof dat het paradijs was.

'O, nu begrijp ik het,' zei ik lachend.

'Wat begrijp je?'

'Daar zijn ze allemaal allang ingedut, toch?'

Hij draaide zich om en trok een verbaasd gezicht. 'Nou en?' zei hij. 'Ik hou wel van een dutje.'

'Gelijk heb je,' zei ik met een glimlach.

Hij grijnsde terug. Toen liep hij verder door de straat. We staken wegen over, gingen een paar keer een hoek om en kwamen langs een bioscoop. Ten slotte stopten we op de hoek van een plein. Het lawaai van de bussen was oorverdovend.

'Hier is het,' zei de magneetman.

Ik keek naar zijn stoppels. Als hij zich zou scheren en zich helemaal een beetje zou opknappen, zou hij er bijna leuk uitzien, dacht ik. 'Bedankt, hè,' zei ik.

'Waar ga je heen?' vroeg hij.

'Londen. Naar een nieuwe club.'

'Ik dacht dat je blut was.'

'Mijn vriend betaalt.'

'Mijn vriend betaalt,' herhaalde hij nuffig. 'Je moet maar boffen. We kunnen niet allemaal jurken dragen zoals die van jou.'

Ik streek de roze en mintgroene wolken glad. 'Vind je hem mooi?'

'Je bent net een topmodel, schat.'

Dat had nog nooit iemand tegen me gezegd. Grace vond dat ik nodig vijf kilo moest afvallen, haarversteviger moest gebruiken en mijn nek moest uitrekken. Trim zei dat ik er best goed uitzag in het juiste licht. Ik glimlachte naar de magneetman en hij lachte. Dus boog ik me naar voren en fluisterde: 'Ik heb hem gejat.'

'Zo moet het, meid,' zei hij. 'Te gek.'

'Nou, dag dan,' zei ik, en ik zwaaide koninklijk vanuit mijn pols. Hij sjokte weg in de richting waaruit we gekomen waren.

Ik liep het plein rond tot ik een man zag die kaartjes verkocht. Ik wilde liever niet met petten praten, maar als Solace moest het wel kunnen. Ik vroeg hem welke bus ik moest nemen voor Witney, en hij zei dat die bus niet hier op het plein vertrok, maar ergens waar ik nog nooit van had gehoord. Ik vroeg waar dat was, en hij antwoordde: die kant op, daarna afslaan, een keer rechts en dan links en ik begon wazig te kijken. Dus vroeg ik hoeveel het kostte, en hij zei dat het niet zijn busmaatschappij was, maar hij schatte vier pond.

Over en uit.

Onvoldoende tegoed.

17

Veilig in het donker

Oxford voelde zo langzamerhand aan als lijm. Ik herinnerde me dat Miko gezegd had dat hij bij het liften altijd probeerde om niet in een stad te worden afgezet, omdat het een ramp is om daaruit te komen, en hij had groot gelijk.

Het was bijna donker en wat moest ik dan?

Ik verliet het plein en liep wat rond en toen zag ik de Clone Zone. De club nam de halve straat in beslag en was gesloten. Ik probeerde door de deur naar binnen te kijken, maar het was er donker. Het was nog te vroeg. Op een bordje stond dat ze om halfnegen opengingen.

Toen kreeg ik een idee.

Ik zou die nacht uitgaan in Oxford en pas de volgende ochtend verder reizen. Nu kon ik misschien eerst naar de film, en dan naar de Clone Zone, waar meisjes vanavond gratis naar binnen mochten. Tot nu toe had ik er te jong uitgezien voor clubs, maar als Solace kon ik me overal naar binnen bluffen, dacht ik. Wie weet? Misschien kwam ik er wel een man tegen met een sportwagen, die me in één keer halverwege Fishguard zou brengen. Of misschien zouden Kim en ik vriendinnen worden in de Clone Zone en had zij een auto.

Ja, droom maar lekker verder. Maar binnen was het tenminste veilig en droog, beter dan alleen in de donkere straten met gekken, junkies en bijlmoordenaars. En niet te vergeten de politie die rondsloop om je op te pakken en in een cel te smijten.

Ik liep terug naar de bioscoop waar ik langs was gekomen, en slenterde naar binnen.

Trim, Grace en ik hebben een truc om gratis naar de film te gaan. Je zoekt een zaal waar de film al begonnen is. Dan controleren ze geen kaartjes meer, en je kunt gewoon naar binnen lopen. Als iemand je tegenhoudt, zeg je dat je naar de wc moest en dat je vriend de kaartjes heeft. Maar dat gebeurt bijna nooit.

Ik glipte naar binnen en ging voor het grote scherm zitten. Maar de zaal was nog niet voor een tiende gevuld. Geen wonder. De film was compleet waardeloos.

Ik had liever nog een keer naar *Titanic* gekeken.

18

De Clone Zone

Toen het licht aanging, gaapte ik en liep de nacht in. Het rook naar Indiaas eten en het was zo druk op straat alsof het klaarlichte dag was. De Clone Zone zag er nu heel anders uit. Bij de ingang stonden mannen in pakken en met zonnebrillen op, als robots die hun ruimtevaartuig beschermden. Er was een rij gevormd en de deuren waren open. Jongens van allerlei leeftijden en massa's meisjes in strakke topjes kletsten aan één stuk door. De lucht was zwaar van tien soorten parfum door elkaar.

Daar ging ik.

Ik zocht een plaatsje achter een groepje van tien, die gilden alsof ze al binnen waren en boven de muziek uit moesten komen. Ik liet mijn tas half van mijn arm glijden om nonchalanter over te komen. Zonder iemand om mee te praten viel ik op als Dombo het olifantje. Ik stond in de rij en telde mijn nagels. Toen dacht ik aan mijn mobieltje. Ik kon toch doen alsof ik beltegoed had. Ik kon doen alsof ik met Grace of Trim praatte. Ik haalde het tevoorschijn, zette het aan en begon als een gek te kletsen.

'Nou en of, Grace,' zei ik enthousiast. 'Echt bloedmooi... Wat? ... Ja, vind ik ook... Ierland. Ja. Daar ga ik heen. Ma verwacht me. Ze heeft een baantje voor me als danseres... Geloof het maar, schat. Ik...' De telefoon viel me piepend in de rede. Voicemail. Ik drukte op 1 en Fiona's stem klonk.

'Holly. Holly? Waar ben je? Ik ben net terug. Ik heb je briefje gevonden, Holly. Ik weet niet wat dit te betekenen heeft. Bel me alsjeblieft. Over tien minuten probeer ik het nog eens, maar dan, nou ja, dan moet ik Rachel bellen, Holly. Bel me nou. Het spijt me dat ik te laat was. Ik...'

Ik luisterde niet verder. Ik gooide de telefoon terug in mijn tas, alsof ik mijn handen eraan had gebrand. Ik floot tussen mijn tanden door en de rij kwam in beweging.

Ik schudde mijn hoofd om Fiona van me af te zetten. Maar haar mekkerende stem bleef me steken als een gesprongen veer in de zitting van een bank.

Dicht bij de ingang werd ik zenuwachtig. Ik herinnerde me de keer dat ik met Grace en Trim naar een club was gegaan en weggestuurd werd. Grace kwam binnen omdat ze één meter tachtig was, en Trim omdat ze te weinig jongens hadden. Maar ik ben niet groter dan gemiddeld en een meisje, dus moest ik ophoepelen. Grace was razend. Ze wilde niet alleen met Trim naar binnen, omdat hij telkens zo gestoord deed. Daarom ging ze er ook vandoor, en Trim kwam mee. Dat was de nacht dat we tekeergingen op straat en ik in de gesloten afdeling terechtkwam, en het was allemaal de schuld van die uitsmijter.

Toen ik deze keer vooraan in de rij kwam, schoof een van de robots zijn zonnebril omhoog en staarde me aan. Ik wist dat ik niet weg moest kijken. Ik streelde mijn asblonde haren en glimlachte. Hij knikte en wuifde het groepje naar binnen, en mij ook, omdat hij dacht dat ik bij hen hoorde. De jongens stopten bij een loket om te betalen, maar de meisjes niet. Ze zeilden naar binnen alsof de zaak van hen was en ik liep mee met een grote grijns omdat het me was gelukt. Een volgende robot drukte een bonnetje in mijn handen. HIERVOOR KRIJG JE AAN DE BAR EEN GRATIS DRANKJE.

Als bad girl kwam je nog eens ergens.

Binnen was het net een fabriek. De muziek dreunde als een zware machine. Laag aan het plafond hingen allemaal pijpen en draden, en twee zoeklichten zwaaiden door de ruimte. Een lege dansvloer knipperde in allerlei kleuren, door licht dat van onderaf kwam. Er waren vierkanten rood, zwart, blauw en geel, nooit twee dezelfde naast elkaar, net als bij de voordeuren aan de Mercutia Road. De bar was chic zilver met zachtpaars licht en omgekeerde flessen. Mannen met zwarte vesten hiphopten erachter en schonken drankjes in voor een rij meisjes. De lage banken ernaast waren bekleed met zebrastrepen.

Ik keek om me heen en wiegde naar de bar.

Ik wist waar ik om moest vragen. Grace had me verteld over een drankje dat Baby Guinness heet. Het lijkt op Guinness, maar het is koffielikeur met Baileys. Het is donker en romig en Grace zei dat ze het lekker vond omdat het zoet en zwart is net als zij, en ik wilde het omdat ik Iers ben en Guinness onze nationale drank is.

Ik bestelde en de man ging het inschenken.

'Een beetje snel graag,' schreeuwde ik.

Hij grijnsde. 'Komt voor elkaar,' brulde hij. Bij 'elkaar' liet hij een fles Baileys een salto maken, terwijl hij tegelijk een glas door de lucht liet vliegen van zijn ene hand naar de andere.

'Te gek!' riep ik.

De barman wervelde rond, schoof het drankje over de bar en wuifde me verder. En weet je? Ik had het bonnetje nog voor het gratis drankje. Ik liep weg en lachte kakelend door het R&B-ritme heen. Toen liet ik mijn glas bijna vallen omdat een van de zoeklichten me ving. Ik verstijfde als een ontsnapte gevangene. Dat was ik ook, een gevangene die op de vlucht was. Ik haastte me naar een hoektafeltje waar het zoeklicht niet kon komen. De sandalen sneden als vossenklemmen in mijn voeten, dus ging ik zitten. Ik voelde of mijn pruik nog goed zat. Het was mijn bedoeling lang met mijn drankje te doen, maar ik nam telkens slokjes om niet op te vallen. De koele, romige vloeistof gleed mijn mond in en vormde een randje op mijn bovenlip. Ik likte hem af.

Je naam geschreven met wolken, Holly.

Ik keek om me heen, maar zag niets. Het was Ray's stem, die door mijn hoofd echode. Ik hield mijn handen voor mijn oren om hem buiten te sluiten.

De stem kwam niet terug, maar ik zou zweren dat ik door het bonkende ritme van de muziek heen de 'Arabian Nights'-riedel van mijn mobieltje hoorde onder in mijn tas. Ray of Fiona. Het kon niet anders.

Ik viste het ding op, en ja hoor, Fiona's naam stond op het schermpje. Deze keer zette ik de telefoon uit, maakte hem open en haalde de simkaart eruit. Daarna stopte ik alles terug in mijn tas en sloeg de rest van mijn drankje achterover.

Misschien moest ik de telefoon maar zo gauw mogelijk verpatsen. Als ik weer wat geld had, kon ik verder reizen.

Ik stond op en haalde nog een Baby Guinness bij een andere barman. Ik knipperde zo hard ik kon met mijn wimpers, maar hij wilde toch mijn bonnetje hebben.

Ik ging weer zitten. Er kwam geen mens bij me in de buurt. Het was nog vrij rustig, met hier en daar een groepje. Niemand danste, behalve een rare kerel met een donzige sik, die dacht dat hij heel bijzonder was. Zijn vrienden jouwden hem uit terwijl hij rare passen maakte en rondwervelde. Maar hij trok zich er niets van aan. Ik dronk verder terwijl ik op de maat knikte. Het gonsde in mijn hoofd. Na mijn laatste slok besloot ik even naar de wc te gaan. Ik liep een steile trap af, met oranje leuningen. Er waren twee deuren – dames en heren, nam ik aan, maar het stond nergens. Ik zag alleen rare foto's van vruchten. De ene was een banaan en de andere een halve appel.

Toen kwam er een meisje uit de deur met de appel, dus ging ik daar naar binnen. Er was een lange spiegel met mooie lampjes, zoals mama had in haar kleedkamer in de club waar ze danste. Ik voelde me net een filmster. Ik borstelde mijn haar en werkte mijn lippenstift bij.

Opeens kwamen er twee meisjes binnen.

'Hij liep me zomaar voorbij zonder iets te zeggen,' zei de een woedend.

'Nou en?' reageerde de ander verveeld.

Ik verstijfde.

'Dat is toch gemeen.'

Het was het meisje uit de Swish! Ik had de mintgroen met roze jurk aan en zij zou die natuurlijk zien en meteen weten dat ik hem had gestolen.

Ze smeet haar tas neer en haalde haar make-up eruit. 'Ik doe hem wat, de smeerlap,' siste ze. Ze deed nieuwe lippenstift op, smakte met haar lippen en gromde.

Boven in het donker met de flitsende lampen zou ik veilig zijn. Ik glipte langs haar met mijn rug naar haar toe en ging snel de deur uit.

Toen ik boven aan de trap was werd ik rustiger. Als het meisje de jurk ontdekte, kon ik altijd zeggen dat ik hem van een vriend had gekregen. Maar ze zou me waarschijnlijk niet zien. Het was donker en het begon drukker te worden. Ik kon opgaan in de menigte.

Ik ging mijn tas afgeven. Het kostte een pond, maar wat moest ik anders? Hij was te zwaar om mee te dansen. De kerel met de sik op de dansvloer had gezelschap gekregen van tientallen anderen. Ik bleef aan de rand staan en wiegde met mijn heupen. Er flitste een zigzaglamp zodat het wit van iedereen oplichtte – hun kleren, tanden en ondergoed. Toen voerde een groepje me als een vloedgolf mee de dansvloer op. Ik kende de muziek, dus draaide en deinde ik en maakte met mijn handen de duikgebaartjes die Grace cool vond en waardoor ik er volgens Trim uitzag als een Egyptische mummie die te veel breezers ophad. Halverwege werd ik hard in mijn billen geknepen. Ik draaide me met een ruk om. Maar degene die het had gedaan, was al weg.

Daarna speelden ze een idiote cover van mama's lievelingssong 'Sweet dreams are made of this', en iedereen werd wild. Maar na een tijdje struikelde en vertraagde het ritme en ging het over in een song over marimba's en mojito's, en het was de bedoeling dat je met je heupen schudde alsof je een rieten rokje droeg. Het was calypsotijd. De rare kerel met de sik kwam naar me toe en danste met me. Hij had een cocktailparapluutje achter zijn oor gestoken. Hij deed me aan Trim denken, dus danste ik mee, tot ze aan een andere hit begonnen.

'Daar kan ik niets mee,' schreeuwde hij.

Ik glimlachte en zwaaide met een vinger naar hem alsof hij een stoute hond was, en hij sprong als een voetzoeker de lucht in. Toen hij neerkwam, had hij een grijns zo groot als een toetsenbord.

'Iets drinken?' brulde hij.

'Lekker,' gilde ik.

Hij pakte mijn elleboog vast en stuurde me tussen de zwiepende ledematen door. De dansvloer was nu stampvol.

Hij bestelde en drukte me een drankje in handen. Het was paars en rook naar HP-saus.

'Wat is dat?' riep ik.

'Een Deathwish,' beweerde hij.

Ik nam een slokje en kokhalsde. Het smaakte naar drop. 'Gaat wel,' zei ik.

'Je moet het in één keer naar binnen gieten.'

Dat deed ik. Toen pakte ik het cocktailparapluutje van achter zijn oor en liet het draaien. 'Hoe heet je?'

'Ryan,' riep hij.

'Klinkt Iers.'

'Nee hoor. Mijn moeder woont in Basingstroke.'

'De mijne is in Ierland.'

Misschien verstond hij het niet. 'Druk hè?' zei hij.

'Ja. Tot de nok gevuld.' Ik keek omhoog naar de rare buizen langs het plafond. 'Alleen is die er niet.'

'Wat?'

'Een nok. Die is er niet.'

Hij keek me aan alsof ik niet goed snik was.

'Ik heet Solace,' riep ik.

'Alice?'

'Nee. Solace.'

Hij knikte vaag.

'Hé, heb je een mobieltje nodig?' schreeuwde ik.

'Wat?'

'Een mobieltje. Wil je mijn mobieltje kopen?'

'Jij bent een rare. Ik heb er al een. Zullen we dansen?'

'Oké.'

We moesten om een meisje heen lopen dat op de grond gevallen was. We dansten naar het midden, en ik maakte mijn duikgebaartjes en er kwamen donkere schimmen langs, net als in een zwembad. We konden fantastisch met elkaar dansen, Ryan en ik. Onze armen vlogen, we wervelden en het was alsof er klokken luidden en confetti dwarrelde en *sweet dreams were made of this*. Ik leefde, zweefde, werd opgetild door de vierkanten onder mijn voeten, de ene song na de andere, alsof er geen eind zou komen aan de nacht, en ik was gelukkig, ik vloog. Ik was Solace tot de tiende macht.

19

De griezel met één oog

Het ritme, de hitte. Armen, benen, haar. 'Dat is beter,' zei iemand dicht bij me. Een hese stem. Een arm om mijn schouders, die omlaaggleed, en toen ik mijn ogen opendeed, was het niet Ryan, maar een andere kerel. Ik wist niet eens dat ik met hem had gedanst. Waar was ik? Ik had het gevoel dat ik altijd had gedanst en kon me niet herinneren wat er met Ryan was gebeurd. Deze kerel stond oog in oog met me, alleen had hij een doekje over een van zijn ogen, als een piraat. Hij had zweet in de poriën van zijn neus en zijn hand lag op mijn billen alsof ze van hem waren. Ik sprong achteruit.

'Ik moet plassen,' zei ik, en ik rende de dansvloer af, naar de toiletten. Alles draaide om me heen, steeds sneller. Ik greep me vast aan de trapleuning en liep naar beneden, bonk-bonk. Toen ik bij de deuren kwam, ging ik bijna naar binnen bij de banaan, maar ik dacht er nog net aan. Ik sloot me op in een hokje en legde mijn hoofd op mijn knieën. Het was een rotgevoel. De wereld maakte een salto. Mijn oren suisden en in mijn maag dook een vliegtuig omlaag. Ik draaide me om en gaf over in de wc.

Dat was beter.

Grace kotst altijd haar eten uit en zegt dat je je heerlijk voelt daarna. Ik had haar nooit geloofd, maar nu wel. Ik kreeg weer lucht.

Ik kwam tevoorschijn en waste mijn gezicht bij de wasbak. Mijn wangen waren niet meer zo heet. Naast me werkten een paar meisjes kletsend hun mascara bij, en ik vroeg hoe laat het was. Ik kon het haast niet geloven toen ze zeiden dat het twee uur was. Waar waren al die uren gebleven?

Ik liep langzaam terug naar boven. Ik wist niet wat ik moest doen. Ik had geen zin om in mijn eentje naar buiten te gaan, de donkere nacht in.

'Wil je nog dansen?' Ik draaide me om en daar was diezelfde kerel weer.

Ik keek of ik Ryan ergens zag, maar kon hem niet ontdekken. Toen herinnerde ik me Kim uit de broodjeszaak, maar die was niet komen opdagen. Daar ging mijn plan om vriendinnen met haar te worden. De mensen begonnen weg te gaan. Die kerel had een rood T-shirt aan met MADE IN ENGLAND erop. Hij had stoppels en zwart haar dat glimmend naar achteren was geplakt. Hij was lang en Grace zou hem vast goor vinden. Dat doekje voor zijn oog vond ik vreselijk.

'Eerst iets drinken.'

'Oké. Kom maar mee.'

Hij bestelde een Bacardi Breezer voor me zonder het te vragen. Toen ik die naar binnen had geklokt, gingen we weer de dansvloer op. Alleen hopte ik nu telkens achteruit als hij te dichtbij kwam.

'Het is laat,' brulde hij.

'Ja.'

'Heel laat.'

'Ja.'

'Ga je met me mee naar huis?'

'Wat?' Ik deed of ik het niet verstond, al hield hij zijn mond bijna tegen mijn oor.

'Ik woon hier dichtbij.'

'Waar dan?'

'In West-Oxford. Dean Court.'

'Wést-Oxford?'

'Ja.'

'Is dat bij de A40?'

'Min of meer. De A40 is een paar kilometer verder. Hoezo?'

'O, zomaar.'

'Ga je nou mee of niet?'

'Heb je een auto?' vroeg ik.

'Nee. We nemen een taxi.'

Nou, wat zou jij hebben gedaan? Ik was kapot. Mijn voeten brandden. Mijn buik deed pijn. Wat had ik voor keus? Op een bankje gaan liggen voor de nacht en opgepakt worden door de politie, of in een taxi naar het westen rijden?

'Oké,' zei ik.

Mannen – die moet je gebruiken en dumpen, hoorde ik Grace zeggen.

'Hoe heet je eigenlijk?' vroeg de man.

'Solace.'

'Ik heet Tony.'

'Hallo, Tony.'

Hij pakte mijn arm vast en dreef me de deur uit. Hij had zo'n haast dat ik bijna mijn tas vergat. Maar ik was niet zo'n sukkel als Jane Eyre. Die liet haar koffer in het rijtuig liggen toen ze ervandoor ging. Wat een leeghoofd. Ik dacht er net op tijd aan. Het nummertje van de garderobe zat nog waar ik het had weggestopt. In mijn bh.

20

Bij Tony thuis

Buiten was het donker en warm, en het was stil op straat. Tony liep maar door over een eindeloze weg en duwde me voort bij mijn elleboog. Ik struikelde en klaagde over mijn voeten en er dook een taxi op en we stapten in. Ik geloof dat mijn hersenen ermee ophielden. Ik herinner me in elk geval niet dat hij of ik iets zei op die achterbank. Maar mijn voeten en mijn hoofd waren helemaal beurs en de nacht gleed voorbij en ik wou dat we eeuwig in die taxi konden blijven rijden, verder en verder naar het westen, terwijl de ochtend ons inhaalde en Oxford achterbleef en Ierland steeds dichterbij kwam. Ik vond het leuk zoals de straatlantaarns voorbijflitsten, en genoot van de geur van de leren stoelen en de stilte.

Maar er kwam een eind aan de rit. Tony zei tegen de chauffeur dat hij moest stoppen, betaalde en leidde me naar binnen door een voordeur. We liepen een gang in die naar bedorven stamppot stonk. 'Sst!' zei hij, en hij nam me mee naar een kamer boven. Hij deed de deur zacht achter ons dicht en deed de lamp aan.

Er stond een bultige bank, een reusachtige tv en in de hoek een bed. Op de vloer lagen bierblikjes.

Ik plofte neer op de bank.

'Doe of je thuis bent,' zei hij.

Ik verloor bijna mijn bewustzijn.

'Wil je iets drinken?'

'Oké.'

Hij zocht in een kast. 'Dit is de laatste.' Hij hield een blikje bier in de lucht.

'Neem jij maar,' zei ik. Ik probeerde mijn koninklijke polszwaai, maar door die beweging maakte mijn maag een salto.

Hij trok het blikje open en het bier stroomde sissend over de rug van zijn harige hand. 'Wil je tv-kijken?'

'Tv?'

'Of een film. Ik heb er een paar.' Ik zag al voor me dat hij porno zou opzetten. 'Ik heb alle *Terminators*,' zei hij.

'*Terminators*?'

Zijn adamsappel ging op en neer toen hij het bier achteroversloeg. 'Niets voor jou?'

De kamer tolde.

'Ja, oké,' zei ik. 'Doe maar.'

Hij zette een dvd op en kwam naast me op de bank zitten. Hij startte de film met de afstandsbediening. Ik zakte telkens weg, maar af en toe schrok ik op van onverwachte harde geluiden, waardoor mijn hoofd ging bonken.

Toen een man een grote ijzeren staaf door zich heen kreeg, barstte Tony in lachen uit en stopte de film. 'Dat was het leuke deel. De rest is saai.'

'Oké.'

'Heb je zin om te gaan liggen?'

Nu kwam het. Gebruiken en dumpen, hoorde ik Grace zeggen.

'Gaan liggen?' kreunde ik. Het probleem was dat ik nog nooit seks had gehad. Grace wel, duizenden keren, en Trim ook. Zei hij. Maar ik niet. Volgens Grace stelt het niet veel voor. Je doet je ogen dicht, denkt aan ijsjes en als je het goed aanpakt, betalen ze iets voor je. Maar ik had twijfels over deze kerel.

Hij stak een sigaret op zonder er mij een aan te bieden. 'In bed,' zei hij. Hij knikte naar het gestreepte dekbed waarvan ik draaierig werd als ik ernaar keek.

'Slapen, bedoel je?'

Hij keek naar me zoals ik daar languit op de bank lag, en blies een rookkring. 'Laat dat slapen maar zitten.'

Jezus, hoe kom ik hier onderuit?

'Wat is er eigenlijk met je oog?' vroeg ik om over iets anders te beginnen.

Hij voelde aan het doekje en lachte. 'Ik heb gevochten,' zei hij.

'Met wie?'

'Mijn vriendin.'

'Je vriendin?' Ik keek om me heen, alsof ze zich misschien in een kast verstopt had.

'Ex-vriendin.' Hij goot het laatste restje bier naar binnen en boog zich naar me toe. 'Heel erg ex.' Ik verstijfde en hij streek me over mijn knie. 'Ex,' mompelde hij weer.

Blijf daar niet zitten. Doe iets.

Hij had een hand om mijn nek en de andere scharrelde over mijn jurk. De sigaret hing slap tussen zijn vingers.

'Au! Pas op met je sigaret,' zei ik.

'O. Ja. Sorry.' Hij gooide hem op de grond en maakte hem uit met zijn hak. Toen boerde hij en stak zijn hand weer uit naar mijn jurk.

'Ja maar...' begon ik.

Hij trok me naar zich toe. Ik rukte me los en de pruik viel af. Bleek en slap kwam hij naast de bank op de grond terecht.

'Verdomme,' vloekte hij. Hij duwde me van zich af. 'Wat krijgen we nou?' Zijn stem sloeg over.

Ik trok mijn knieën op tot aan mijn kin en zei niets.

Hij raapte de pruik op en bekeek hem, en daarna mij. 'Je haar is bruin.'

Ik kon niet eens met mijn ogen knipperen.

'Ik hou niet van bruin.'

Ik beet op mijn lip.

'Ik wil alleen blondjes.'

Zijn waterige oog staarde naar me alsof ik een marsmannetje was.

'Je bent een kind, hè?'

Ik bleef opgerold zitten. Ik kon geen kant op.

'Ja toch?' Zijn hand maakte een beweging alsof hij me ging slaan. 'Ja toch?'

Ik hield mijn handen voor mijn gezicht. 'Het spijt me, Tony. Het spijt me.'

Hij vloekte zacht. Toen viel zijn hand omlaag. Hij stak een nieuwe sigaret op en inhaleerde. 'Jezus. Ik wil niets met kinderen. Ik ben geen pedo. Hoe oud ben je eigenlijk?'

Opeens schoot het me te binnen. Het was drie uur 's nachts, en ik was jarig. Wat een verjaarscadeau had ik mezelf gegeven. Een griezel met één oog.

'Vijftien,' zei ik.

Hij vloekte weer. 'Vijftien? Verdomme. Donder op.'

'Naar buiten?'

'Ja. Als mijn hospita je ziet, kan ik het schudden.'

Ik stond op.

'Vooruit,' zei hij. 'Naar huis.'

Mijn lip trilde. 'Ik heb geen huis.'

'Zoek dan maar een tehuis voor daklozen, of zo.'

Hij trok me weg van de bank, raapte de pruik op en gooide die naar me toe alsof hij vol luizen zat. Hij duwde me naar de deur. 'Wegwezen.'

'Alsjeblieft, Tony,' zei ik. 'Het is donker buiten. Laat me blijven. Ik zal mijn kleren uittrekken. Als je dat wilt. Of ik geef je mijn mobieltje. Om te betalen. Mag ik op de bank blijven liggen, tot morgenochtend? Alsjeblieft.'

Hij duwde me de kamer uit en gooide mijn tas achter me aan. 'Weg,' siste hij.

'Alsjeblieft.'

'Sst.' Hij liet me alleen op de gang.

Ik hoorde een sleutel draaien in het slot. 'Tony...'

Ik stond met mijn neus en mijn handen tegen de deur, maar die ging niet open.

Buiten wachtte de nacht om me te verslinden.

Wat moest ik nou doen?

21

De droom op de trap

Ik stond stil in het onbekende donkere huis. Ik zag een streep licht onder Tony's deur en verder niets. Ik rook bedorven stamppot en vochtige schimmel en mijn eigen angst.

Ik drukte de pruik tegen mijn gezicht.

Na een tijdje begonnen mijn ogen te wennen. Ik draaide me om en zag vaag de trap, de leuning en een gangtafeltje beneden. Ik schuifelde naar voren en ging op de bovenste tree zitten.

Ik daalde op mijn billen de trap af tot halverwege en stopte. Ik luisterde. Er moest ergens een klok zijn, want ik hoorde hem boven het bonzen van mijn eigen hart uit. Tik-tak-wat-nu. Ik herinnerde me de klok in het huis aan de Mercutia Road, maar deze was anders. Hij klonk zwaar en traag.

Verder was het doodstil.

De streep licht onder Tony's deur verdween. Net goed dat zijn vriendin zijn oog had dichtgemept. Ik wou dat ik het andere oog had gedaan. Was het soms een zonde om bruin haar te hebben? Ik voelde aan mijn eigen haar. Na de pruik leek het bijna of ik kaal was, en ik herinnerde me dat Grace altijd zei dat ik een permanent moest nemen of iets anders moest doen om het dikker te laten lijken. Ik begon te huilen. De tranen bleven maar komen.

Het was doodstil in Tony's kamer. Blijkbaar was hij naar bed gegaan en dacht hij dat ik het huis uit was gelopen.

Mijn ogen waren nu helemaal aan het donker gewend. Ik trok de sandalen uit en wreef over mijn voeten. Daarna trok ik zo stil mogelijk mijn sportschoenen aan, en mijn skatertop over mijn jurk. Ik streelde Solace, die bleek en slap op mijn schoot lag. De asblonde kleuren lichtten op in het donker.

Het huis stonk, maar hier was ik tenminste een paar uur veilig, als ik stil deed. 'Solace,' fluisterde ik alsof de pruik een goede vriendin was. 'Sister Solace.' Tik-tak-wat-nu. De tijd bleef stilstaan. Mijn hersenen vertraagden en ik zweefde weg. Ik sloot mijn ogen en ik weet niet of ik wakker was of sliep, maar algauw verdween de trap en was ik terug in de hemelflat, alsof ik er op een droomwolk naartoe was gedreven...

Ik film onderwater en kijk door een beverige lens.

Mama is er. Denny ook. Hun stemmen galmen en het is voorjaar. Er stroomt helder licht naar binnen vanaf het balkon en Denny tikt met een vinger op de krant. Hij gaat die dag naar de paardenrennen. Mama wil dat hij voor haar op een paard wedt. Nu herinner ik het me. Het is de dag van de race van Sister Solace.

'Ik heb nog nooit een knol in zijn neus geblazen,' zegt Denny, 'maar ik weet wat een goed paard is.' Mama knijpt hem in zijn wang en zwaait met een vijfje.

'Zal ik het voor je inzetten, Bridge?' vraagt hij terwijl hij ernaar graait. 'Op een flinke merrie?'

'Mag ik kiezen? Mag het?' Dat ben ik die dat zegt. Ik ben erbij en trek Denny aan de mouw van zijn ruitjeshemd, omdat ik maar tot zijn elleboog kom.

'Oké, lastpak. Zeg het maar.' Hij laat me de bladzijde over de paardenrennen zien.

Ik wijs Sister Solace aan. 'Die.'

'Sister Solace? Dat is geen favoriet.' Hij plukt mama's vijfje uit haar hand en zij geeft hem er nog een.

'Zet ze allebei op haar,' zegt mama. 'Ze heeft een mooie naam, vind ik.'

'Je moet een snel paard kiezen, raar mens. Geen mooie naam.'

Mama lacht en strijkt door zijn haar. 'Doe wat ik zeg, Denny. Sister Solace.'

'Oké, Bridge. Maar ik heb je gewaarschuwd.' Hij geeft haar een zoen en gaat weg, naar de rennen.

Mama en ik kijken ernaar op tv. De paarden schieten ervandoor, de grond davert onder hun hoeven. Ze strekken hun nekken naar voren en je ziet de spieren van hun bruine achterwerk spannen. De goudkleurige Sister Solace blijft achter en mama vloekt. Maar opeens, vanuit het niets, komt

Sister Solace naar voren. De stem van de man die commentaar levert, schiet een octaaf omhoog – 'En het is Sister Solace aan de buitenkant, Sister Solace die…' – en mama springt op en stompt in de lucht en schreeuwt: 'Kom op, meid!' Dus sta ik ook op en schreeuw mee en Sister Solace vliegt licht en soepel voor de rest uit, en het is een wonder zoals ze op de finish af rent, stort ze in of valt ze, nee, daar is ze, als eerste over de eindstreep. Mama springt op en neer, en zegt dat we vanavond champagne drinken, mijn god, en dat ik haar grote meid ben. Ze zet 'Sweet dreams are made of this' op, haar lievelingssong, en schenkt haar drankje in met de rinkelende ijsblokjes. 'Op Sister Solace,' jubelt ze. Ze danst door de hemelflat en doet de balkondeur open om de buitenlucht binnen te laten. 'Travel the world and the seven seas.' Het is zo helder dat je de witte koepel van St Paul's kunt zien en ik wieg en dans met mama mee en doe haar duikgebaartjes na. Ze wervelt en klapt in haar handen en ik ook. Ik geloof niet dat ik ooit zo'n vuurwerk in mijn hart heb gevoeld, een fontein van gouden munten.

'Is het genoeg geld voor Ierland, mama? Is het genoeg?'

'Ja, Holl. Meer dan genoeg. Genoeg voor een diamant. En voor een splinternieuw bed. Voor wat dan ook. We zijn rijk.'

'Gaan we nu naar Ierland, mama? Gaan we?'

'Ja, natuurlijk gaan we, Holl.'

Ik zie mezelf in groene weiden rennen door zijdezachte regen, diep de frisse lucht opsnuiven en takjes gooien in de zwarte rivier. We gaan naar Ierland. We gaan.

'Komt die man ooit nog thuis? Ik wil mijn geld zien,' zegt mama zacht en ze schenkt zich nog eens in. De lift van de hemelflat bromt en komt naar boven. 'Is hij daar?' vraagt mama. 'Is hij het?'

Holl. Snel.

Boven me kraakte een plank. Ik schrok wakker. De geluiden van de hemelflat verdwenen en ik zat weer diep in de nacht op die onbekende trap. Ik had me helemaal opgerold, met mijn wang tegen de pruik gedrukt. Door de voordeur kroop een streep licht naar binnen. Ik hoorde een voetstap boven me, en nog een.

Snel, Holl. Weg.

Er ging een deur open, en er klonk gegrom. Ik kon niet horen of het een man of een vrouw was. Maar zo meteen zou het licht aangaan en dan zou ik gepakt worden.

Ik graaide mijn spullen bij elkaar en rende de trap af. Beneden stootte ik mijn knie tegen het tafeltje.

'Hé! Jij daar!'

Een mannenstem. Maar niet die van Tony. Ouder.

Ik was bij de voordeur en morrelde aan knoppen en grendels, maar het schoot niet op. De lamp ging aan.

'Ik bel de politie!'

Eindelijk kreeg ik de deur open. Ik schoot naar buiten en kreunde om de pijn in mijn knie.

'Blijf staan! Jij daar!'

Hij kwam naar beneden, achter me aan. Ik vergat mijn knie en rende er blindelings vandoor, het pad af, de straat uit, een hoofdweg op. Ik rende zo hard dat ik de pijn in mijn knie niet meer voelde. Ik rende tot ik buiten adem was, en daarna nog een tijdje. Toen wandelde ik verder over de stoep. De pijn in mijn knie kwam terug.

Ik keek over mijn schouder, maar zag niemand die achter me aan kwam. Ik kwam op adem. Het was stil, halfdonker, halflicht. Er was een bushokje en ik ging zitten.

Alles was grauw. Nergens vogels. Nergens auto's.

Langs de straten waren stroken gras. De huizen waren groot en stonden verder van elkaar. De bomen bewogen niet. Ik voelde koude lucht rond mijn neus.

Ik dacht aan het huis en de stank en Tony's graaiende handen en de trap en de man die naar me had geschreeuwd en dat het mijn verjaardag was en dat niemand het wist, en ik huilde. Ik huilde alsof ze me te pakken hadden gekregen, al was dat niet zo.

Ergens in mijn hoofd huilde mama mee. 'Travel the world and the seven seas,' zong ze boven haar lege glas. 'Everybody's looking for something.'

Maar Denny kwam die dag niet. Ik herinnerde het me nu. Geen champagne, geen feest, geen kaartjes voor Ierland. Het enige wat ik kon zien door die gebarsten oude lens was mama's lege glas dat omgevallen was, de ijsblokjes die smolten, en mezelf toen ik in mijn eentje naar bed ging, onder het dekbed kroop met Rosabel tegen mijn gezicht en aan één stuk door 'Sweet dreams' neuriede. Denny was nergens te bekennen.

22

Een vroege wandeling

Ik zag er niet uit.

In een struik achter me schrok een vogel op. Hij kwetterde als een bezetene. Ik veegde mijn gezicht af aan mijn mouw.

Zo kun je niet naar Ierland gaan, zei ik tegen mezelf.

Ik borstelde de pruik en zette hem op. Daarna viste ik mijn roze lippenstift en mijn spiegeltje uit mijn tas. Mijn haar was een puinhoop, mijn eigen dunne bruine haren waren zichtbaar onder de blonde pruik, mijn ogen waren rood en mijn kleine neus glom. Ik trok de pruik goed en borstelde hem weer. Ik klopte mijn jurk af. Ik werkte mijn lippen en mijn gezicht bij.

Toen herinnerde ik me de iPod in mijn tas. Ik deed de oortjes in om een eind te maken aan de stilte.

Ik knikte mee met mijn lievelingssongs en dacht aan Ryan met zijn grijns als een toetsenbord, en toen aan Tony met zijn bierlucht. Ik probeerde hem in de prullenbak van mijn hersenen te dumpen, om hem voorgoed te verwijderen, maar hij dook telkens weer op met zijn gore gezicht en zijn waterige oog. En toen veranderde zijn gezicht in het masker uit het museum, en daarna in Denny's gezicht. Dus zette ik de muziek harder, maar hoe hard ik die ook zette, Tony met zijn ooglapje ging niet weg.

Wat was ik blij dat hij mijn jurk niet uit had gekregen.

Er was maar één man die ik op die manier zo dicht bij me zou laten komen, en hij was hier niet in de buurt. En ik ga niet over hem praten.

Ik stond op en liep verder. Het eerste ochtendlicht was achter me, dus nam ik aan dat ik naar het westen liep, en dat was de goede kant op voor Ierland. Ik liep op het zachte ritme van Storm Alert. Het was alsof iedereen in de wereld dood was behalve ik.

Toen hoorde ik ondanks de muziek een auto die langzaam achter me reed. Ik werd gespannen. Misschien keek de chauffeur naar me. Een stoepgluurder. Dat is het probleem als je een swingende glamour girl bent: je trekt de aandacht. De auto reed nog steeds stapvoets en ik ging sneller lopen. Het herinnerde me aan de nacht dat ze me arresteerden. Dat was nadat de uitsmijter me had weggestuurd bij die club. Trim zei: laten we met zijn allen gaan tippelen, dan hebben we geld en gaan we gokken en worden miljonair. Grace wist alles van seks. Ze vertelde me dat ze het voor het eerst had gedaan met haar stiefvader en dat ze daardoor in het tehuis terecht was gekomen. Die avond met Trim had ze meteen een kerel in een glanzend pak en een rode auto aan de haak. Vijf minuten later kwam ze eruit met een tientje, maar ze wilde het niet aan Trim geven en hij werd woest en zei dat ik nu moest. Ik ging op een hoek staan, stak mijn heup naar voren en hield mijn hoofd achterover net als Grace, en er stopte een auto. Maar het was niet een of andere geilaard. Het was de politie. Ze stapten uit en namen me mee. Ze vroegen met wie ik daar was, maar ik verraadde Trim en Grace niet. Ik zei dat ik in mijn eentje werkte. Zo kwam ik in de gesloten afdeling terecht. Het was beroerd.

Dat was het nu ook. De wagen die naast me reed wilde niet ophoepelen. Ik keek niet opzij, maar begon wild met mijn hoofd te knikken op de muziek en als een gek in de lucht te stompen. Gekken willen ze niet, leek me. Ik knikte en stompte als een bezetene. En weet je? Het werkte. Opeens trok de auto op en ging ervandoor. Poeh, opluchting.

Dus als jij ooit wordt lastiggevallen, weet je wat je moet doen.

Ik liep stevig door, ook al bonkte mijn hoofd harder dan de muziek. Huizen. Gras. Bomen. Stoeptegels. Bonk-bonk. Ik had barstende koppijn en mijn oogleden voelden aan als schuurpapier. Ik deed de oortjes uit en liep door. Twee auto's reden hard voorbij, alsof ze een wedstrijd deden. Ik kwam bij een viaduct. Over een smerige brug zoefden bij vlagen auto's langs. Ik zag een oprit die erheen leidde, en ging in de berm zitten om uit te rusten. Het gras was nat van de dauw, maar het kon me niet schelen.

Grace kwam naast me zitten, met haar mooie gezicht en lange wimpers.

Zie je die brug, Holly?

Ja.

Hoog hè?

Ja. Nou en?

Weet je wat ik zou doen als ik jou was? Ik zou daarheen gaan en eraf springen.

Dat was echt iets voor Grace. Ze had het er altijd over dat ze zich van kant wilde maken. Donder op, Grace. Zuurpruim.

Haar lange wimpers verdwenen.

Ik was helemaal alleen. Ik stelde me voor dat ik over de oprit naar de brug liep, afscheid nam van de wereld en naar beneden sprong. Hoe zou dat voelen? De val, de autobanden en de grond die op me afkwam en me overal raakte?

Mijn leraar Frans op school heeft een keer een verhaal verteld over een *mademoiselle* met liefdesverdriet. Ze klimt op de Arc de Triomphe midden in Parijs en springt eraf om overal een eind aan te maken. Maar ze komt op een grote witte bestelbus terecht en haar benen gaan dwars door het dak en ze breekt ze allebei. De verzekering van de auto laat haar opdraaien voor de schade, en ze is blut en invalide voor de rest van haar leven, maar niet dood. Als je een beetje verstand hebt, kun je het beter met pillen en drank doen, dacht ik toen. Grace heeft het geprobeerd met een nagelschaartje en hongeren, maar dat is niet gelukt. Ze is niet goed snik.

Ik streelde mijn pruik en het was alsof Solace de leiding nam. Je gaat niet van die brug springen, Holl, zei ze. Dan verlies je de pruik, hè, en ben ik ook dood. Ik moest glimlachen. Je loopt gewoon door op deze weg. Met elke stap komt Ierland dichterbij.

Dat deed ik. Ik liep alsmaar verder, de stille ochtend in.

23

De telefooncel

De huizen stonden verder van elkaar.

Het licht was feller.

Ik deed de oortjes weer in. De vogels zongen zo hard dat mijn hoofd bijna barstte. Drew fluisterde in mijn oor. Behalve de man over wie ik het liever niet heb, is hij de enige die ik dicht bij me zou laten komen, maar hij is altijd op tournee, ergens ver weg, dus hebben we nog geen kans gehad om elkaar te ontmoeten. Op een dag speelt Storm Alert ergens waar ik ook ben, en dan koop ik een kaartje en ga erheen. En die dag wordt het stadion overvallen door terroristen, die ons allemaal gijzelen. Tijdens de onderhandelingen laten ze mensen vrij, met honderd tegelijk, tot we nog maar met ons tienen over zijn. Drew en ik zijn er allebei nog en we leren elkaar kennen en praten de hele tijd met elkaar. Als een van de terroristen een jongetje wil doodschieten, dat een beetje lijkt op die kleine Einstein in het museum, schop ik tegen zijn pistool en red het jongetje. Maar als wraak slaat de terrorist me buiten westen. Als ik bijkom, houdt Drew mijn hoofd in zijn handen en streelt me over mijn haar...

Ik ging zo op in mijn fantasie dat ik bijna tegen een telefooncel aan liep, zo'n ouderwets rood ding met een heleboel kleine raampjes. Ik keek er verward naar, alsof ik was vergeten wat het was.

Het volgende moment stond ik erin en vroeg me af wie ik zou bellen. Het probleem was dat de hele wereld nog sliep. Grace en Trim sliepen. Miko, ergens in Noord-Londen, sliep en ik had niet eens zijn nummer. Bij Rachel zou ik alleen haar opgenomen stem krijgen. Ik moest met iemand praten.

Alleen niet met Fiona of Ray. Die niet.

Opeens herinnerde ik me een telefoonnummer dat in Templeton House naast de telefoon hing. De Kindertelefoon. Dat is een speciaal nummer voor zielige kindertjes. Zou ik dat proberen? Het was beter dan niets en het was gratis. Ik herinnerde me het nummer, omdat de cijfers als een ladder omhooggingen.

Maar zou er iemand opnemen, zo vroeg op de dag?

De telefoon ging over.

Ik wachtte.

De telefoon ging nog een paar keer over, maar er werd niet opgenomen.

Ik gaf het bijna op. Toen klonk er een klik, en er antwoordde een echte stem, geen opgenomen boodschap. Het was een vrouw. Ze begon met wat gezeur over vertrouwen en eerlijkheid, en ik legde bijna neer. Een hoza, zeker weten.

'Ben je er nog?' vroeg ze. 'Heb ik je niet weggejaagd met dat officiële praatje?'

'Hm,' zei ik.

'Goed zo. Hallo.'

'Hallo.'

'Ben je een kind?'

'Ja. Ik ben veertien. O nee, vijftien.'

'Wil je me vertellen hoe je heet? Het hoeft niet als je het niet wilt.'

'Ja hoor. Ik heet Solace.'

'Solace?'

'Dat zei ik toch? Ik heet Solace. Ik ben weggelopen.'

Er viel een stilte.

'Ik ben Gayle,' zei de stem. 'Hallo… Solace. Jammer dat je bent weggelopen. Wil je erover praten?'

'Misschien. Weet je. Ik zat in een tehuis…' Ik zweeg.

'Een tehuis?'

'Ja. Waar ze voor je zorgen.'

'Een gezinsvervangend tehuis?'

'Ja.'

'Vond je het daar niet fijn?'

'Gaat wel. Alleen waren de andere kinderen heel stout.' Grace en Trim stonden ineens bij me in de cel en stootten hun ellebogen tussen mijn ribben, omdat ik bijna in lachen uitbarstte. 'Ontzettend stout.'

'Dat is vervelend.'

'En mijn gezinsbegeleider vond me niet aardig. Hij pestte me.' Miko keek om, halverwege de rivier, met zijn jasje over zijn schouder. Hij trok een wenkbrauw op. Holly. Hij schudde zijn hoofd.

'Wat deed hij dan?'

'O, ik weet niet. Van alles.'

'En dat beviel je niet.'

'Neu.'

'Dus ben je weggelopen?'

'Yep.'

'Heb je geen sociaal werkster, Solace? Iemand met wie je kunt praten?'

'Ze heeft nooit tijd voor me als ik bel.'

Dat zegt Grace over die van haar. Maar voor Rachel was het niet waar.

'Waar ga je naartoe?'

'Huh?'

'Ga je ergens heen? Of ben je gewoon weggelopen?'

Ik dacht aan mama in de groene weiden en de zachte regen. 'Ja.'

'Ben je gewoon weggelopen?'

'Nee. Ik loop weg ergens naartoe.'

'Wil je me vertellen waarheen?'

'Mama,' zei ik voor ik het wist.

'Je moeder?'

'Ja, mijn moeder.' Ik hoorde mijn stem beven. 'Ik wil bij haar gaan wonen. Ik wil weer bij haar zijn. Ik heb genoeg van al die vreemden.'

'Weet zij het, Solace? Weet ze dat je dat wilt?'

'Nee,' zei ik bijna huilend. 'Ze weet niets. Niet waar ik ben. Niets. Ze vertellen het haar niet. Ze zoekt me. Ik weet het zeker. Ze is naar me op zoek. Maar ze kan me niet vinden.'

Er viel een stilte.

'Solace?'

'Ja?'

'Weet je waarom je in een tehuis zit?'

Ik dacht aan de hemelflat en mama en Denny. 'Ja hoor,' blufte ik. 'Natuurlijk weet ik dat.'

'Wil je het me vertellen?'

'Het is nogal ingewikkeld.'

'Probeer het maar.'

'Nou ja, mama had een vriend. Denny de engerd.'

'Denny de engerd?'

'Ja. Hij pakte al ons geld af. En hij deed slechte dingen. Heel slechte dingen. En mama moest snel terug naar Ierland, zodat Denny haar niet zou vinden. Anders zou ze het niet overleven. En dat ontdekten ze.'

'Wie zijn "ze", Solace?'

'Jeugdzorg, natuurlijk. Ze kwamen erachter dat mama weg was, omdat ik niet naar school ging zoals moest, en toen hadden ze ons te pakken. Mama wilde me later laten komen, maar toen ze het probeerde, was het te laat. Ze hadden me al meegenomen. Nu is zij daar en ik ben hier en het is allemaal mijn schuld.'

'Waarom zeg je dat het jouw schuld is, Solace?'

'Huh?'

'Nou ja, hoe oud was je toen?'

'Ik weet het niet. Het is allemaal nogal vaag.'

'Dus je was jong. Heel jong. Wat de volwassenen deden was jouw schuld niet. Toch?'

Weet je, dat zeiden mensen altijd: Het is jouw schuld niet, Holly. Jij hebt niets verkeerds gedaan, Holly. Maar het leek wel of ik nooit echt had geluisterd, zelfs niet als Rachel en Miko het zeiden. Jij kunt er niets aan doen. Waarom zeiden ze dan altijd tegen me dat ik me verantwoordelijker moest gedragen?

Maar het gekke was: zoals Gayle het zei, begreep ik het.

'Nee toch, Solace?' Haar stem klonk zacht en kalm, bijna smekend, en ze zei mijn naam heel lief. Ik stelde me haar voor, aan de andere kant van de lijn. Ze had bleke wangen en lange, zachte blonde krullen. Ze zag er leuk uit in een donkerblauw joggingpak met strepen opzij, helemaal geen hoza.

'Nee,' fluisterde ik. Ik drukte de hoorn tegen me aan. Ik kneep mijn ogen stijf dicht en zag een klein meisje met afzakkende sokken en een scheve pony. Ze haalde veel hoge cijfers op school, en dat was ik. Als de even lift bezet was, nam ze de lift naar de oneven verdiepingen en liep ze heel dapper het laatste stukje over de enge trap. 'Mijn geld is bijna op,' zei ik met verstikte stem. Ik was vergeten dat het gratis was.

'Solace, wil je dat ik je terugbel?'

'Nee. Laat maar.'

'Ik kan het doen.'

'Het hoeft niet.'

'Solace. Ik moet dit zeggen. Je kunt beter teruggaan. Dat weet je toch?'

'Hm.'

'Doe je het? Ga je terug? Dan kunnen we later nog eens praten. Wanneer je wilt. Ik beloof het. Doe je het?'

'Misschien.'

'Ik vind het niet fijn dat je alleen op straat bent, zo vroeg in de ochtend.'

'Ik ben niet alleen.'

'O nee?'

'Mijn vriend is bij me.'

'O. Mooi zo. Hoe heet hij?'

'Drew,' zei ik.

'Is hij aardig?'

'Hij is geweldig. Hij ziet er goed uit en hij zorgt voor me.'

'Ik hoop het. Maar je moet het tehuis bellen, Solace. Ik kan het ook voor je doen, als je wilt. Als je me vertelt hoe het heet.'

'De telefoon telt de laatste seconden af,' loog ik.

Een, twee, drie. Big Ben dreunde in mijn hoofd.

'Solace?'

Vier, vijf.

'Alsjeblieft, Solace.'

Zes, zeven, acht. De stem van de vrouw drong diep in me door. Een deel van me wilde niet dat ze wegging. Het andere deel wilde niets liever dan ophangen.

'Templeton House,' piepte ik.

Negen, tien. 'Dank...' hoorde ik nog. Toen kwakte ik de hoorn op de haak. Jezus, waarom heb ik dat gezegd? raasde er door mijn hoofd. Nu belt ze Templeton House en begrijpen ze wie het was. Ze gaan na vanwaar ik heb gebeld, en dan komt de politie achter me aan. Stommeling. Ik moet hier weg. SNEL. Rennen.

Ik liep de telefooncel uit en keek naar de weg voor me. De zon was opgekomen en de stad lag achter me. Ik hees mijn tas op mijn schouder en begon te rennen. Het enige waaraan ik kon denken was kleine Holly met haar afzakkende sokken, die op de enge, donkere trap ongelukje speelde met Colette, Denny smeekte of zij een paard mocht kiezen, en mama's haar borstelde en borstelde, en voor geen goud mocht ophouden. Je was jong, hoorde ik Gayle telkens zeggen. Heel jong.

24

De Emmy-Lou

Je kunt niet eeuwig blijven rennen en ik liep algauw langzamer. De stilte van de ochtend was zo dik als soep. Er kwam een eind aan de huizen, en ook aan de stoep. Er was alleen nog een hobbelige grasberm. Bij elke stap kregen mijn enkels een douche van dauw. In plaats van tuinen en gebouwen waren er nu velden en hoogspanningsmasten en bomen en meer groen dan ik ooit had gezien. Ik zag gele en blauwe bloemen. Ik hoorde vogelgeluiden en geritsel, en rook bladeren.

En de weg ging maar door. Er kwamen weer huizen, en toen lang gras en een wei met schapen.

Het was open land, bijna net zo mooi als Ierland, en ik kon ademen. Wat was ik blij dat ik niet van dat viaduct was gesprongen, ook al had ik het gevoel dat iemand mijn maag probeerde te wurgen, en verging ik van de dorst en kon ik die vogels wel vermoorden omdat ze hun kop niet hielden. Maar de ochtend was koel en kalm en vol leven, en mijn voeten liepen gewoon door zonder dat ik het ze hoefde te vertellen. Ik stelde me voor dat mama op een heuvel stond te wachten en keek hoe ik met elke stap dichterbij kwam.

Ik liep drie of vier kilometer door. Er daverden drie auto's en een vrachtwagen voorbij, maar er was nergens politie te bekennen. Misschien was ik voor niets in paniek geraakt. Ik had mijn naam niet gezegd. Maar ik had wel Templeton House genoemd. Dat zouden ze natuurlijk controleren en dan hadden ze het gauw genoeg door. Het kon niet anders.

Er sprongen tranen in mijn ogen, maar ik bleef lopen.

Een eindje verder ging de weg over een kleine brug met een leeg tolhuisje. Ik liep tot de helft en er was aan beide kanten een blauwgroene glinstering van een smalle, stille rivier. Ik dacht aan Miko die de Thames overstak, op weg naar het noorden, kilometers verderop, in een heel andere wereld. Toen zag ik een pad langs de oever en lange, smalle boten die daar lagen aangemeerd.

Rivierwater in een stad is smerig, maar hier buiten kon je het wel drinken, dacht ik. Ik liep van de brug, daalde een paar treden af naar de oever en slenterde langs de boten, op zoek naar een plek waar ik voorover kon reiken om een handje water op te scheppen.

Ik zag een gebouw en een muur waarover water stroomde. Ik wist niet wat het was, maar ik vond een plek waar ik water in mijn gezicht kon spatten. Het was donker en zat waarschijnlijk vol beesten, maar ik nam een slok. Het smaakte naar water uit een emmer waarmee je net de vloer hebt gedweild, en ik gaf bijna over. Er stond een bank en ik plofte neer.

Uit een van de rare, lange boten zag ik rook omhoog kringelen. Ik fronste. Vuur op een houten boot?

Opeens hoorde ik Trim me uitlachen. Natuurlijk kun je een vuur stoken op een boot. Bij de Titanic deden ze dat toch ook beneden in de machinekamer?

Ja, gaf ik hem in gedachten antwoord. En moet je zien hoe het is afgelopen. Hij is gezonken.

Dat kwam niet door het vuur, maar door een ijsberg.

Maar deze boten zijn heel klein. Ze lijken niet op de Titanic, en ze zijn van hout. Eén vonk en het is gebeurd.

Ik rekte me gapend uit op de bank.

Grace en jij zijn echt oerstom, hè. Je stopt het vuur in iets van ijzer, oen. Iets stevigs en zwaars.

Ja. Zo zwaar dat de boot zinkt? Ik deed expres stom om hem op de kast te jagen.

Een boot kan het Vrijheidsbeeld dragen, als het moet. Het hangt van de grootte af. Voor zo'n boot... is een klein kacheltje... geen probleem. Trims stem vervaagde en ik geloof dat ik indutte.

Toen ik wakker werd, lag ik languit op de bank. De zon verblindde mijn ogen.

Mijn pruik was half afgezakt.

Ik ging zo snel zitten dat hij viel. Ik kon hem nog net grijpen voordat hij op de grond terechtkwam, en trok hem weer over mijn hoofd. Ik herinnerde me het telefoongesprek. De politie zat nu natuurlijk achter me aan. Ik rommelde in mijn tas tot ik de borstel vond, en borstelde de pruik. Ik haalde opgelucht adem. Ik was Solace weer. Ze zouden me nooit herkennen, al reden ze vlak langs me.

Ik hoorde fluiten, en een plons. Ik keek om me heen.

Verderop was een man de ramen van zijn boot aan het lappen. De boot was lang en groen, met bloempotten, een fiets die plat op het dak lag, en een schoorsteen waaruit nog steeds rook opsteeg.

De man had lange grijze haren in een paardenstaart en dikke bruine armen. Hij droeg een blauwe spijkerbroek en een T-shirt en floot mee met de muziek van zijn koptelefoon. Hij was een hoza die het niet weten wilde – iemand van boven de veertig die doet of hij zeventien is. Je krimpt helemaal in elkaar en wilt je het liefst verstoppen als ze doen alsof ze je beste vriend zijn, en blijkbaar denken dat ze nog net zo oud zijn als jij.

Deze stopte even met zijn werk om een slok te nemen uit een grote fles duur water. Het was helder, heel anders dan het rivierwater dat ik had geprobeerd. Ik verging nog steeds van de dorst.

Ik stond op, klopte me af en slenterde langs de oever naar de boot. Hij heette de Emmy-Lou. De naam was in rood op de zijkant geschilderd, met een ❤ in plaats van de O.

'Hee!' riep ik.

De man hoorde me niet door zijn muziek, maar misschien voelde hij aan dat er iemand in de buurt was, want hij draaide zich om en zag mij.

Ik zwaaide en glimlachte. 'Hoi,' zei ik.

Hij deed de oortjes uit. 'Hallo. Ik had je daar al zien liggen op de bank. Feestje gehad vannacht?'

'Dat kun je wel zeggen, ja.'

'Hoe ben je hier terechtgekomen?'

'Wil je dat echt weten?'

'Waarom niet?'

'Ik herinner het me niet meer.'

'Echt niet?'

'Nee.'

'Dat moet een wild feest geweest zijn. Heb je veel gezopen?'

'Niet aan denken.' Ik bracht mijn hand naar mijn hoofd alsof het van breekbaar porselein was. 'Ik kan wel een slok water gebruiken.'

Hij legde zijn zeem neer en gaf me de fles. 'Ga je gang.'

Dat deed ik. Ik klokte het water naar binnen, tot de fles leeg was. Hij keek grijnzend toe alsof ik een circusnummer was. Ik gaf de fles terug.

'Bedankt.'

'Lekker?'

'Ja. Net champagne.'

'Ben je verdwaald?' vroeg hij.

'Nee hoor. Nou ja, een beetje. Ik ben op zoek naar de A40.'

'De A40? Die is een paar kilometer verder. Bij de rotonde moet je rechtsaf. Wat is er zo bijzonder aan de A40?'

Ik hield een vinger op mijn lippen. 'Beloof je dat je het aan niemand vertelt?'

'Ja, ik beloof het.'

'Ik heb daar afgesproken met mijn vriend Drew. Hij staat op me te wachten met zijn sportwagen om me mee te nemen. We gaan er samen vandoor.'

'Ik wist niet dat mensen dat nog deden.'

'Ze moeten wel als ze jong zijn en de ouders het niet goed vinden.'

'Klinkt romantisch.'

'Dat is het ook.' Ik keek dromerig.

'Gaan jullie naar Gretna Green?'

'Wat?'

'Je weet wel. Waar paartjes vroeger naartoe gingen om te trouwen als het niet mocht.'

'O, nee hoor. We gaan naar Amerika.'

'Amerika?'

'Ja. Vliegen. Oxford, Heathrow, en dan de lucht in.' Mijn hand deed een opstijgende jumbo na. 'New York,' voegde ik eraan toe.

'Ja, in Amerika moet je zijn,' zei hij. 'Ik heb er gewoond.'

'Ga weg. Waar?'

'Overal. Ik was roadie.'

'Roadie?'

'Ja, ik ging mee op tournee met alle bekende bands. Noem maar op...' Hij begon allerlei rockgroepen op te sommen. Alleen kende ik ze geen van alle. Ze waren prehistorisch. Toch zei ik een paar keer wow, alsof ik onder de indruk was.

'Weet je zeker dat je niet even wilt ontbijten?' zei hij. 'Ik heb thee en brood met spek.'

Mijn maag kneep samen van de honger en het was alsof ik in bed lag aan de Mercutia Road en de geur van geroosterd brood langs de trap naar boven kwam. Zijn boot zag er gezellig uit, lang en kleurig, een plek waar je kon wonen zonder je opgesloten te voelen, met een tafel en kastjes om alles netjes op te ruimen, en een voorraad koekjes bij de hand en een hond zoals Rosabel, maar dan echt, om je te bewaken.

'Waarom heet je boot Emmy-Lou?' vroeg ik om tijd te winnen.

Hij draaide zich om en keek naar de naam die met rode letters op de boot was geschilderd. 'Naar een meisje dat ik gekend heb,' zei hij glimlachend.

'Je hield van haar, hè?'

'Waarom denk je dat?'

'Je hebt een hartje geschilderd in plaats van de O.'

Hij lachte. 'Nou, dan kan ik het niet meer ontkennen.'

'Zijn jullie er samen vandoor gegaan?'

'Nee. Ze was onbereikbaar voor me. Mijn Emmy-Lou.' Hij wenkte met zijn grijze hoofd naar de deur van de boot. 'Kom binnen. Dan maak ik toast.'

Ik was even in de verleiding. Maar ik zag de witte stoppels op zijn kin en moest denken aan Tony's vingers die me betastten. 'Ik zou graag willen,' zei ik. 'Maar ik moet verder. Anders snapt mijn vriend het niet.'

Hij knikte. 'O ja. Je vriend.'

'Hij is nogal ongeduldig, Drew. Als je hem laat wachten wordt hij woest. Maar bedankt voor het water.' Een deel van me jankte bij het idee van een ontbijt, maar ik zei dag en slenterde terug naar de brug.

'Graag gedaan, lieverd,' riep hij.

Ik keek om en dacht even aan Denny met zijn 'lastpak of lieverd'. Maar de man zwaaide en glimlachte heel vriendelijk. Dus zwaaide ik zo'n beetje terug en liep toen langs de bank terug en de trap op. Op een dag heb ik zelf ook zo'n lange, groene boot, nam ik me voor. Alleen noem ik hem niet Emmy-Lou. Ik noem hem Solace. En als ik de naam op de zijkant schilder, doe ik dat met felgele letters en een rood hart als O.

S❤lace.

25

De A40

Op de weg kwam ik algauw bij het richtingbord van de rotonde. De A40 was rechtsaf. Ik sjokte de langste kilometer van allemaal, langs nog een andere rotonde, en toen was ik er eindelijk. Op de weg naar de vrijheid.

Ik ging in de berm zitten op een plek waar de auto's langzamer reden en kwam op adem. Ik haalde de kaart tevoorschijn. De weg slingerde van de ene plaats naar de andere, zag ik, en bij een stadje dat Eynsham heette was een cirkel. Ik legde mijn vinger erop. Daar was ik. Precies daar.

'Als ik onderweg moest wachten, deed ik dat altijd in een bocht, Holly. Op een plaats waar een auto kon stoppen.' Dat was Miko's stem, die vertelde over het jaar dat hij van Zuid-Frankrijk naar de pont naar Engeland was gelift. Hij was achttien, in zijn eentje en blut, net als ik. 'Weet je, Holly,' had hij gezegd, 'de weg strekt zich voor je uit als de oplossing van een mysterie. Je denkt telkens dat je het bijna doorhebt, maar er is altijd nog een stap verder. Elke lift is een nieuw avontuur. Je laat de kilometers achter je en het kost niets.'

Ik glimlachte terwijl ik het me herinnerde, en verwisselde mijn sportschoenen weer voor mijn mooie sandalen. Misschien kreeg ik dan sneller een lift. 'Het valt niet mee om jong te zijn tegenwoordig. Je kunt niet meer liften, of buiten spelen. Niets leuks doen. Alleen omdat iedereen denkt dat alle anderen bijlmoordenaars zijn.'

Dat was Miko's vaste onderwerp. 'Het evangelie volgens Miko'. Volgens hem was het leven toen hij nog jong was veel makkelijker, alsof je een heuvel af reed. Je kon liften wanneer je wilde, een leegstaand huis kraken om er te gaan wonen, van de bijstand leven en de hele nacht in een microfoon schreeuwen en het muziek noemen omdat het punk was. Hij zei dat hij een oorring had die een zilveren cobra voorstelde, en meer gaten in zijn spijkerbroek dan stof, en dat hij zijn haar groen had geverfd en dat het daardoor allemaal was uitgevallen. 'Je houdt me voor de gek, Miko,' zei ik een keer. 'Je scheert het toch?' Om een of andere reden wilde ik dat Miko's zijdezachte schedel opzet was.

'Natuurlijk, Holly,' zei hij grijnzend. 'Als ik het laat groeien, ben ik net Raponsje uit dat sprookje.' Hij knipperde met zijn wimpers alsof hij een meid was, en ik stompte hem en hij lachte. Dat was zijn manier van doen.

Er daverde een vrachtauto langs en ik verdreef Miko uit mijn hoofd. Ik stond op, greep mijn hagedissentas en stak mijn duim op. Ik wist dat ik zo ouderwets was als de Rolling Stones, maar wat kon ik anders?

De auto's en vrachtauto's raasden voorbij. Niemand stopte en mijn arm ging pijn doen.

Als er nou iemand stopt en het een seriemoordenaar is? dacht ik.

Nou ja, zo veel seriemoordenaars zijn er ook weer niet, stelde ik mezelf gerust.

Ik bukte en plukte een paardenbloem uit het gras en stak hem achter mijn oor. Toen hield ik mijn duim weer omhoog.

En weet je wat? Er stopte bijna meteen een vrachtauto.

Hij kwam piepend tot stilstand op de brede vluchtstrook, een meter of twintig voorbij de plaats waar ik stond. Was hij echt voor mij gestopt? Ik wachtte en voelde de wind in mijn oren en de zon op mijn schouders. In de bomen zaten kraaien te kletsen. Ik hield mijn adem in.

Hij toeterde en ik ademde uit.

Ik veegde de bloem weg van mijn oor en voelde aan mijn tas.

Vooruit, Holl, zei ik tegen mezelf. Eropaf.

Ik liep naar de vrachtauto en deed mijn best om niet te struikelen op mijn sandalen.

Als het een vetzak is met tattoos en stoppels stap ik niet in, dacht ik.

Toen ik dichterbij kwam, zag ik een hand die uitgestoken werd en het portier aan mijn kant opendeed. Ik keek op en verwachtte een bruut met een baard en een buik plus duizend tattoos. Maar wat ik te zien kreeg, was een mager gezicht, dat me beleefd aankeek. Hij had slap bruin haar, bruine ogen en gladde wangen. Aan zijn voeten droeg hij sandalen met open tenen, uit het jaar nul.

'Waar ga je naartoe?' vroeg hij. Zijn handen lagen ontspannen op het stuur.

'Wales,' zei ik.

'Dan heb je geluk,' zei hij. 'Ik moet naar Carmarthen.'

'Carmarthen?' Ik herinnerde me de lijst namen langs de weg en Carmarthen was een heel eind de goede kant op.

'Heb je daar wat aan?'

'Ja. Dat is fantastisch. Hartstikke goed.'

'Oké, stap dan maar in. Voorzichtig.'

Ik klom omhoog. Hij stak geen hand uit om te helpen. Dat was een goed teken. Ik probeerde te ontdekken of hij een gestoorde seriemoordenaar was, maar zag niets. Geen pistolen, messen of foto's van naakte vrouwen die aan het spiegeltje bungelden.

'Zit je goed?' zei hij. 'Ik ben Phil.'

Hij zei het als een zucht. Het was een zachte naam, heel anders dan Tony. Iets aan hem gaf me een veilig gevoel. Ik trok het portier dicht en hij liet de motor sneller draaien.

'Hoi, Phil.'

'Hoe heet jij?'

'Solace,' zei ik.

Hij keek opzij en trok op. 'Solace?'

'Ja.'

'Die naam heb ik nog nooit gehoord. Maar het klinkt mooi.' Hij glimlachte naar me, terwijl hij optrok. 'Doe je die even om?' zei hij met een knikje naar de veiligheidsgordel.

'O ja, natuurlijk.' Ik klikte de gordel vast, leunde naar achteren op de hoge stoel en staarde naar de witte strepen op de weg die snel op ons afkwamen. Toen ik het gevoel kreeg dat niet alleen de weg maar ook mijn hoofd erdoor in tweeën werd gedeeld, keek ik door het zijraampje naar de velden.

Vanbinnen glimlachte ik breed. Wat een geluk had ik met deze Phil! Ik hoefde alleen maar te blijven zitten en beleefd te doen, en dan was ik straks halverwege Ierland. Nu kreeg de politie me niet meer te pakken. Voor hen was ik in rook opgegaan. Carmarthen, ik kom eraan.

26

De veganistische trucker

Voor Phil was het geluid van de weg voldoende als gesprek. Hij was net als Ray en zat te mijmeren achter het stuur. De radio stond zacht. Je kon alleen flarden opvangen. Je hoorde vooral het draaien van de motor en de brede banden van de vrachtwagen op het asfalt. Ik kon haast niet geloven hoe hoog we daar zaten in de cabine, als koningen van de weg. Je kon over de hagen heen kijken, tot ver in de velden. Er groeiden paarse, gele en witte bloemen in de weiden en ik zag lange rijen hoogspanningsmasten. Er waren schapen, schuren, huizen en bochten in de weg die verborgen wat erna kwam.

Dit gaat geweldig, dacht ik.

Het was warm in de cabine en het rook naar diesel. De stoelen waren zwart en versleten en aan een haakje achter Phil hing een oude groene sweater.

We kwamen bij een stuk met gescheiden rijbanen. De vrachtauto ging harder rijden en het geluid van de banden werd hoger van toon.

'Nou, Solace,' zei Phil. 'Het is lang geleden dat ik een meisje heb zien liften.'

'Het mag toch?'

'Ja, voor zover ik weet wel. Je ziet het alleen niet veel meer.'

Ik keek hem aan, maar hij hield zijn blik strak op de weg. 'Ik lift normaal ook niet, Phil,' legde ik uit. 'Maar ik ben vannacht uit geweest en mijn geld en mijn mobieltje zijn uit mijn tas gestolen.' Ik wees naar het vakje van mijn hagedissentas waarin ik mama's barnsteenring had gestopt. 'Ik ben blut. En mijn moeder is in Wales, weet je, en ze is ziek. Ik moet naar haar toe.'

'Vervelend. Heb je het aan de politie verteld?'

'Wat?'

'Van je portemonnee en je telefoon.'

'Nee, waarom zou ik? De dief is er toch al met het geld vandoor en de portemonnee ligt vast ergens in het park.' Ik dacht aan de keer dat Trim een portemonnee had gestolen in de metro. Hij stak zijn hand in de boodschappentas van een mevrouw, die bijna tegen hem aan gedrukt werd. Trim, Grace en ik stapten bij de volgende halte uit en renden Regent's Park in. Trim haalde het geld uit de portemonnee, twaalf pond, en zei dat het allemaal van hem was, omdat hij het risico had gelopen. Toen moest ik zijn vingerafdrukken van de portemonnee vegen en hem ergens in de struiken gooien.

'Het park?' vroeg Phil. 'Welk park?'

'O, dat weet ik niet. Of in een vuilnisbak of zo.'

'En je creditcards?'

'Die zijn ook weg.'

'Heb je de diefstal gemeld? Aan de maatschappij, bedoel ik?'

'O, ja hoor,' zei ik nonchalant. 'Ik heb met een vrouw gepraat die nachtdienst had bij American Express. Gayle heette ze. Ze was cool. Ik gaf haar alle gegevens en ze zei dat er al een nieuwe kaart onderweg was.'

'Fijn dat je nog een levend mens aan de telefoon kunt krijgen.'

'Ja.'

'Maar hoe zit het nou met je moeder?'

'Mijn moeder?'

'Wat is er met haar?'

'Ze was in Wales voor een surfvakantie.'

'Een surfvakantie?'

'Ja, ze is heel sportief. En toen kwam er een knots van een golf, die haar plank omgooide, en ze sloeg met haar hoofd tegen een steen.'

'Heeft ze een hersenschudding?'

'Ze weet amper waar ze is.'

'Klinkt ernstig. Waar in Wales is ze nu?'

'Fishguard,' zei ik.

'Fishguard? Ik wist niet dat ze daar surfen.'

'Ja hoor.'

'Nou, ik wou dat ik je helemaal kon brengen. Maar als we in Carmarthen aankomen, kan ik vast wel een lift voor je vinden met een van onze andere wagens. Sommige gaan die kant op naar de pont.'

'De pont? Naar Ierland?'

'Ja.'

'Dat zou geweldig zijn.' Had ik even geluk. Fishguard? De pont? Naar Ierland? Ik kon bijna niet geloven dat ik ook de rest van de reis zomaar cadeau kreeg. 'Bedankt.'

Phil knikte. Ik keek weer naar de strepen op de weg, met een grote grijns op mijn gezicht.

'Wat zit er in je wagen?' vroeg ik na een tijdje. Miko zei dat vrachtwagenchauffeurs je meenemen omdat ze eenzaam zijn onderweg. Je moet de rit verdienen door hen bezig te houden.

Phil glimlachte alsof hij op de foto moest. 'Kaas,' zei hij. Mijn maag rommelde. Ik ben dol op kaas. 'Zesduizend kilo kaas. En weet je? Ik eet geen kaas. Je zit hier bij de enige veganistische trucker van heel Groot-Brittannië.'

Daar kon ik niet veel op zeggen. Phil zuchtte alsof het een drama was om veganist te zijn, en verloor zich in zijn eigen droeve veganistische droom, met zijn blik strak op de weg. Zo gingen de kilometers kalm voorbij, met de radio op de achtergrond. Als ik veganist was, zou ik ook droevig zijn. We kwamen langs cafés, parkeerplaatsen en heggen. Ik keek naar de wegwijzers en probeerde ze te begrijpen. Vaak hadden ze de vorm van een lolly, met drie strepen erop, of twee of één.

We kwamen weer bij een stuk vierbaansweg en de banden zoefden zacht.

Er begon een nieuwe song op de radio en Phil zette hem harder. 'Dat is mijn lievelingssong,' zei hij. 'Katie Cruel.' Ik verwachtte ouderwetse popmuziek, maar het was een vrouw die klonk alsof ze werd gewurgd door een boa constrictor, en woorden zong waar ik geen touw aan vast kon knopen:

Als ik was waar ik wil zijn,
Zou ik zijn waar ik niet ben...

Mijn hoofd tolde van alle omkeringen. De wind woei door de bomen langs de weg en de bladeren werden wit. 'Ik loop hier door de bossen...' Midden in een wei stond een boom zonder bladeren. Hij was kaal en dood en treurde om zichzelf. 'Door het drassige moeras...' Phil zong met een schrille stem mee en ik wou dat ik watten had voor in mijn oren, zo vreselijk was de combinatie met de verstikte vrouwenstem. 'De weg af terug naar huis waar mijn geliefde wacht...'

Ik kreeg een grijns op mijn gezicht toen die twee jankten als honden met heimwee.

De muziek stopte en het landschap veranderde. Op een bord stond WELKOM IN GLOUCESTERSHIRE. Phil zette de radio zachter. 'Dat noem ik nou echte muziek,' zei hij.

'Nou en of,' loog ik.

'Ik ben dol op country. Jij?'

'Ik ben meer een rocker.'

'Een rocker?'

'Ja. Drums. Elektrische gitaren, en zo.'

In de verte waren heuvels en ik zag een kerktoren die hoog oprees. We kwamen langs een bordje met AARDBEIEN TE KOOP erop. Even later stond er een bestelbusje op een parkeerplaats, met een tafel vol kistjes met felrode vruchten. Mijn maag kreunde en opeens herinnerde ik me weer dat het mijn verjaardag was.

11 juni. Hulst met groene bladeren en stekels, maar zonder bessen.

Aardbeien doen me altijd aan mijn verjaardag denken. In het tehuis zetten we al onze verjaardagen op de muurkalender, ook die van Miko, zodat we niemand zouden vergeten. Als je jarig was, mocht je het toetje kiezen en ik koos altijd aardbeien met slagroom. Ik was ook degene die de kaarsjes op de taart zette, zodat je kon tellen hoe oud iemand werd, en Miko beweerde altijd dat hij drieëntwintig werd, elk jaar opnieuw.

Ik dacht erover om Phil te vertellen dat ik jarig was, maar dan zou hij vragen hoe oud ik werd.

'We moeten maar eens stoppen om iets te eten,' zuchtte Phil.

'Dat klinkt of je niet graag eet,' zei ik.

'Als ik op de weg ben, eet ik bijna niets anders dan toast met witte bonen in tomatensaus.'

'Kun je geen patat eten als je veganist bent?'

Hij schudde zijn hoofd. 'Negen van de tien keer bakken ze de worstjes in dezelfde olie.'

Mijn maag rommelde bij de gedachte aan een worstje.

We reden door een tunnel van bomen en de weg dook omlaag en toen sloegen we af naar een wegrestaurant. Phil parkeerde op een speciale plaats voor vrachtwagens. Hij trok een vakje open in het dashboard en ik zag munten en bankbiljetten die achteloos erin gegooid waren. Hij pakte een paar biljetten.

'Ga je mee of blijf je hier?' vroeg hij.

Ik draaide aan een haarlok.

'Heb je honger?'

'Ik doe een moord voor een worstje,' gaf ik toe.

'Dat hebben ze in het slachthuis al voor je gedaan,' zei Phil met een glimlach waardoor zijn hele gezicht rimpelde alsof de zon doorbrak.

Ik glimlachte terug. 'Ja, dat is zo.'

'Ik trakteer,' zei Phil. 'Kom mee.'

Dus gingen we naar binnen, de veganistische trucker en Solace de glamour girl, het vreemdste stel dat ooit uit een vrachtwagen vol kaas was gestapt.

27

Het verjaarsfeestje

Het wegrestaurant zat vol grote mannen met bolle buiken en tattoos, precies zoals je je truckers voorstelt. Tussen hen was Phil een spriet, en zijn sandalen staken raar af tegen de sportschoenen van alle anderen. De truckers staarden naar me toen ik langsliep in mijn dichtgeritste top met de mintgroene en roze jurk die eronderuit kwam, en de hoge hakken die tikten op het zeil.

Phil bestelde het eten. Hij vroeg of ik een ei wilde, en ik zei dat ik die niet at. Ik vond een tafeltje achterin en Phil bracht me een bord met twee worstjes en twee stukken toast. Ik schrokte ze op als een hond en vond het jammer dat ik de zoute jus niet van het bord mocht likken. Phil had ook een kop thee met veel melk voor me gehaald, waarvan de damp opsteeg. Ik goot er suiker in en toen ik ervan dronk, tintelden mijn vingers en mijn hersenen. Het was de eerste keer dat ik melkthee dronk, en ik vond het lekker.

Phil zat de laatste witte bonen achterna op zijn bord en moest nog aan zijn zwarte thee beginnen toen ik alles al ophad. 'Dank je, Phil,' zei ik. 'Dat was lekker.'

Hij blies in zijn thee. 'Ik heb nog nooit een worstje zo snel zien verdwijnen.'

'Hoe waren de bonen?'

'Net als altijd.'

'Krijg je er nooit genoeg van om bonen te eten?'

'Soms.'

'Hoe lang ben je al veganist, Phil?'

'Sinds vorig jaar.'

'Waarom ben je opgehouden met vlees eten?'

‘Toen ben ik gestopt met zuivel. Vlees eet ik al niet sinds ik een jongetje was.’

‘Waarom niet?’

Phil keek omlaag naar zijn laatste boon. ‘Toen we op vakantie waren, nam mijn vader me mee naar een schapenmarkt. In een dorp dat Week St Mary heette. Elke keer dat ze een stel schapen hadden verkocht voor de slacht, knipten ze een gat in hun oren zo groot als een flinke munt.’

‘Het is niet waar.’

‘Echt. Het bloed droop langs hun oren en nek, en ze mekkerden alsof ze gemarteld werden.’ Hij haalde een pakje tabak tevoorschijn en begon een sjekkie te rollen. ‘Toen wou ik geen vlees meer.’

Ik staarde naar hem. Ik vond het niets voor hem om te roken.

‘En ik ben veganist geworden voor mijn gezondheid,’ zei hij.

Zijn sjekkie was dun, slap en scheef. ‘Zal ik er voor jou ook een rollen?’ vroeg hij.

Eerlijk gezegd had ik er geen zin in. Ik had al tijden niet meer gerookt, omdat ik blut was. In mijn hoofd hoorde ik Ray’s heggenschaar.

‘Nee, dank je,’ zei ik. ‘Ik ben gestopt.’

‘Echt?’

‘Ja. Net als jij met de kaas. Voor mijn gezondheid.’

Phil sloeg op zijn dij alsof ik een goede grap had verteld. Zijn gezicht rimpelde weer en zijn bruine ogen schitterden.

Ik boog me naar voren. ‘Hé, Phil, zal ik je een geheimpje vertellen?’

‘Als je dat wilt.’

‘Ik ben jarig.’

‘Wat? Vandaag? Waarom heb je dat niet gezegd?’

‘Ik was het helemaal vergeten, doordat mijn moeder ziek is en mijn spullen gejat zijn.’

‘Hoe oud ben je geworden?’

‘Dat is een geheim.’ Ik keek naar mijn nagels en realiseerde me dat ik erop had gebeten. ‘Ik ben ouder dan ik lijk,’ zei ik.

‘Zullen we het vieren met nog een kop thee?’ zei Phil. ‘Mijn sigaret kan nog wel even wachten.’ Hij liep weer naar de toonbank en kwam terug met thee en een stuk aardbeientaart.

‘Jee, Phil. Dat had je niet hoeven doen. Dat is mijn lievelingstaart.’

‘Ik heb om kaarsjes gevraagd, maar die hadden ze niet.’

'Ik doe gewoon of ze erop zitten,' zei ik. Ik sloot mijn ogen en deed een wens. Ik vertel niet wat ik wenste, want als je dat doet, komt de wens niet uit. Toen deed ik mijn ogen open en blies de onzichtbare kaarsjes uit. Phil klapte alsof ik ze allemaal in één keer had uitgeblazen, en riep hard 'Hiep hiep hoera!' en opeens klapten alle truckers in het restaurant. Mijn wangen gloeiden.

'Wil je een hapje?' vroeg ik toen ik mijn vorkje in de taart zette.

'Dat kan niet,' zei Phil. 'Ik ben veganist, weet je nog?'

'Zelfs niet een aardbei van bovenop?'

'Er zijn er maar drie,' antwoordde hij glimlachend. 'En die zijn allemaal voor jou.'

Ik genoot van de taart. Het was biscuitdeeg met jam, aardbeien en room. Ik geloof niet dat ik ooit zo'n lekkere verjaarstaart had gegeten.

28

De groene route

Phil rookte zijn sjekkie en toen gingen we terug naar de vrachtwagen. Naast ons zag ik een dikke trucker met veel moeite in zijn cabine klauteren.

'Jij bent heel anders dan de meeste truckers,' zei ik toen we wegreden.

'Waarom vind je dat?'

'Je doet me aan iemand denken. Een vriend. En hij is geen trucker.'

Phil reed de weg op. 'Ik doe het maar tijdelijk,' zei hij. 'Tot ik iets anders bedacht heb.'

'O ja? Wat?'

'Ik weet het niet. Het is daar ergens aan de horizon, als een luchtspiegeling.' Hij nam een hand van het stuur en wees naar de blauwe heuvels in de verte. 'Ik kan het bijna zien. Maar niet helemaal.'

Ik lachte. 'Je klinkt zelfs als Miko. Miko zegt altijd dat de weg een sleutel is tot het mysterie van het leven.'

'Miko? Wie is dat?'

'Een vriend van me, van vroeger.'

'Hij heeft wel gelijk.'

'Misschien.'

'Wat voor werk doet hij?'

'Miko? Hij is groepsbegeleider.'

'Groepsbegeleider? Voor reizen of zo?'

'Nee. Een groepsbegeleider werkt voor de sociale dienst.' Ik zei bijna 'in een kindertehuis', maar hield het nog net in.

'De sociale dienst? Als een soort sociaal werker?'

'Ja. Maar daarvoor is hij een punkrocker geweest.'

Phil schudde zijn hoofd. 'Dat heb ik nooit begrepen. Geef mij maar country.'

Dat was dieptreurig, dus hield ik mijn mond.

'En jij bent een rocker, zei je?' vroeg Phil na een tijdje.

'Ja. Storm Alert is mijn favoriet. En TNT ook wel.'

'Nooit van gehoord.' Zijn mondhoeken gingen omlaag.

Toen zette hij de radio harder. Ze speelden muzak waarvan de worstjes in mijn buik ranzig werden. We kwamen langs een parkeerplaats met drie campers, aanhangwagens en een hond die zo mager was als een windhond en rondsnuffelde bij een stel gasflessen. Een jongen sloeg met een stok brandnetels tegen de grond.

'Zigeuners,' zei Phil.

Ik draaide me om en keek naar hen. Ik hou van zigeuners. Niemand wil hen, net als kinderen in tehuizen. Als deze reis een mislukking wordt, dacht ik bij mezelf, ga ik terug en zoek hen op. Ik sluit me bij hen aan en dan geven ze me een slaapplaats en een amulet, en aan het eind van de zomer ben ik net zo bruin en stoffig als zij en staan de mensen voor me in de rij om hun toekomst te laten voorspellen, omdat Solace helderziend is geworden.

'Ze zijn zo vrij als een vogel,' zei Phil met een zucht. 'Misschien moet ik dat ook maar doen. In een camper gaan wonen.'

'Dat is toevallig. Ik dacht precies hetzelfde.'

'Misschien zijn wij allebei zwervers, jij en ik,' zei Phil.

'Ja. En Miko is ook een zwerver.'

We naderden een splitsing en Phil ging langzamer rijden. GLOUCESTER A436 links, stond er, en CHELTENHAM A40 rechts. En toen gebeurde het. Hij ging niet naar rechts, maar naar links. Dat was niet meer de weg naar Wales. Misschien was hij toch een seriemoordenaar, die me meenam naar zijn hol, en zou ik in stukken in plastic zakken terechtkomen.

'Waar gaan we heen?' piepte ik terwijl we een bocht maakten en ik mijn pruik vasthield.

'Huh? O, zo missen we Cheltenham. Het scheelt tijd. En het is korter en mooier.'

Ik haalde weer adem. 'O, natuurlijk.' De vrachtwagen reed weer rechtuit. 'Mooier. Leuk.'

We kwamen langs een bord waarop JACHT VRIJ stond, een tweede bord met JACHT VRIJ en toen een met 59% VOORJAGEN.

'Wat betekenen die borden, Phil?'

'Huh?'

‘Over jagen. Waarom staan die daar?’

‘O, dat gaat over vossenjacht.’

‘Vossenjacht? Met honden en paarden en zo?’

‘Ja.’

‘Dat is gemeen,’ zei ik. Ik dacht aan de opgezette otter in het museum in Oxford. ‘Wreed.’

‘Ja. Ik ben ook voor de vossen,’ zei Phil. ‘Dus sta ik aan de kant van de verliezers. Er wordt nog steeds op ze gejaagd, wat er ook in de wet staat. Maar moet je dat uitzicht zien.’ Hij wees naar de bergen met hun toppen in de wolken, en een groot stuk natuur. ‘Mooi hè? We zijn bijna in Wales, het land van de liederen en de heuvels.’

Wales. Liederen. Heuvels. Ik streek mijn pony goed in de zijspiegel en glimlachte. Ik telde de schapen in een wei en kwam tot vijftien, precies de leeftijd van een jarig meisje.

Opeens zag ik Fiona’s gezicht voor me en hoorde het laatste wat ze tegen me had gezegd voor ik wegging: dat ze iets bijzonders te doen had voor een bijzondere gelegenheid, en dat ze daarom laat thuis zou komen. Ik had er geen aandacht aan besteed, maar nu drong het tot me door dat het misschien met mijn verjaardag te maken had.

Maar Fiona kennende was ze waarschijnlijk alleen van plan een wortelcake te gaan kopen.

Ik beet op mijn lip en staarde naar buiten.

Ik zag witte bedrijfsgebouwen, en toen voorbij een groen veld een prachtige oude toren. Bovenop zaten vier spitse, kleinere torentjes. Het leek wel een verjaarstaart met vier kaarsjes.

‘De kathedraal van Gloucester,’ zei Phil. Hij floot tussen zijn tanden door. ‘Ik ben er al zo vaak langs gereden, maar ik heb hem nog nooit van dichtbij gezien.’

‘Van hieraf is hij mooi,’ zei ik. ‘Van dichtbij valt hij misschien tegen. Net als sommige mensen. Je kunt ze beter niet te goed leren kennen.’

‘Dat klinkt alsof je narigheid hebt gehad met iemand.’

‘Ja, dat kun je wel zeggen.’

‘Een vriendje?’

‘Niet van mij, maar van mijn moeder.’

‘Heeft zij problemen met een vriend?’

‘En hoe.’ Ik zweeg even. ‘Weet je, Phil, dat verhaal dat ik vertelde… Over mijn moeder en het surfen en de rots en dat ze haar hoofd had gestoten. Dat is eigenlijk niet waar.'

'O.'

'Ze heeft wel een hersenschudding. En dat niet alleen. Die kerel van haar heeft haar in haar gezicht geslagen en nu lijken haar ogen net twee golfballen.'

'Rot.'

'Ja. Ze kan beter haar hoofd in een oven steken dan omgaan met Denny de engerd.'

Ik kreeg tranen in mijn ogen en Phil moest me een tissue geven. Het enige probleem was dat ik jaren te laat huilde.

'We zorgen ervoor dat je er komt,' zei Phil. 'Wil je haar bellen?' Hij haalde zijn mobieltje uit zijn zak en gaf het haar. 'Dit had ik al eerder moeten doen.'

Ik kon niet meer denken. Ik zei bijna dat het niet hoefde omdat ik zelf een telefoon had. Nog net op tijd herinnerde ik me dat die zogenaamd gestolen was. Ik pakte die van Phil aan en mompelde een bedankje. Ik toetste een rij cijfers in die bijna Fiona's nummer waren, maar in plaats van het laatste cijfer toetste ik een hekje.

'Mama?' zei ik. 'Ben jij dat?'

Het enige wat ik hoorde aan de andere kant, was het suizen van satellieten ergens in de ruimte. Phil neuriede zacht om te laten merken dat hij niet meeluisterde, maar hij hoorde natuurlijk alles wat ik zei. Hij zat naast me.

'Ik kom eraan, mama. Ik rij mee met een vriend... Wat? ... Vanavond ben ik bij je, mama. Maak je geen zorgen. Hoe gaat het met je hoofd? ... Waar is Denny nu? ... Wat? Heb je het uitgemaakt? Voorgoed, bedoel je? ... Dat is geweldig, mama. Hartstikke goed. Dat gaan we vieren als je... Ja. Jij en ik. Champagne. Meiden onder elkaar... Wat? ... Vertel mij wat... Dag mama.'

Ik deed of ik het gesprek beëindigde en gaf hem de telefoon terug.

'Zo beter?' vroeg Phil.

'Ze heeft hem gedumpt. Eindelijk.'

'Dat is toch goed nieuws?'

'Nou en of.'

We reden zwijgend verder en Phil zette de radio harder. Het was allemaal country en western. Een ramp. Maar het kon me niet schelen. We kwamen weer op de A40 en toen vroeg Phil of ik nog een groene route wilde rijden door het Forest of Dean. Ik zei natuurlijk ja. Ik vond dat de naam al mooi klonk. Even later reden we over een slingerweg langs een bord waarop stond: LITTLE LONDON GEMEENTE LONGHOPE. Ik schoot in de lach. Het leek hier echt niet op Londen, ook geen klein Londen, en om lang te hopen moest je ook niet in Londen zijn. In plaats van hoge flatgebouwen waren hier roomkleurige huisjes en glooiende heuvels, een blauwe lucht met gerafelde witte wolken, en groepjes bomen. Borden waarschuwden voor overstekend wild. Elk ogenblik kon er een magisch wit hert je pad kruisen, zodat je wens in vervulling ging. *Sweet dreams are made of this*. Ik glimlachte. We reden tegen een steile heuvel op en achter een laag muurtje verscheen een uitzicht waarvoor je zou willen sterven. Boomtoppen en huizen als stipjes, en in de diepte een grote rivier die kronkelde alsof hij verdwaald was.

'Kijk,' zei Phil. 'De Severn.'

Ik voelde mijn hart in mijn keel. Zoiets moois had ik nog nooit gezien.

Als ik hier woonde, dacht ik, in een van die huizen met ramen uit een sprookje, zou mijn leven dan ook een sprookje zijn? Kon dat?

29

Terug in Devon

Misschien werd al dat moois me te veel. De ene gaap na de andere kwam op in mijn keel en algauw rolde mijn hoofd met de weg heen en weer. Ik droomde.

Miko liep met een rugzak over de heuvel en liftte. Toen hij mij zag achter zich op de weg, draaide hij zich om en riep. Eerst hoorde ik het niet, maar toen voerde de wind de woorden van zijn waanzinnige song mee. 'Haast je, Holly Hogan,' zong hij. 'Voordat de weg verdwijnt onder je voeten...' Ik begon te rennen om hem in te halen en viel. Ik stortte als een meteoriet naar de aarde en kwam terecht op het strand in Devon, waar we vorige zomer met Miko hadden gekampeerd.

Grace lag in het zand, met haar limoengroene handdoek, gouden bikini en gave, karamelkleurige huid. Haar navel knipoogde naar me en ze wenkte dat ik naast haar moest komen liggen. Ik begon haar vlechtjes bij te werken. We keken naar de wolken boven ons, die langzaam bewogen als de adem van een reus, en Grace zei: 'Als je lang genoeg kijkt, zweef je met ze mee naar de engelen. Het is alsof je naar de hemel gaat, Holly, zonder dat je eerst hoeft te sterven.'

Miko had zijn gitaar bij zich en speelde een paar akkoorden. Trim was aan het klieren in de branding.

'Een, twee, drie, vier,' riep Miko. Het was half zingen, half schreeuwen, en hij verzon de woorden terwijl hij ze zei. 'Je kunt doorgaan op die weg, Holly Hogan,' zong hij vals. 'Die slechte, oude weg die je hart verslindt. Haast je, Holly Hogan. Voordat de weg verdwijnt. Voordat je valt en valt...'

'Nee, Miko. Dat niet,' smeekte ik.

'Oké, zullen we de weg omhoog laten gaan? Die goede, oude weg die je als een roltrap naar de hemel brengt...' Grace en Trim joelden met hun handen voor hun oren en Miko's lied raakte verward met de countrymuziek van Phil, maar ik zweefde mee op het ritme. Als ik was waar ik wil zijn, zou ik zijn waar ik niet ben...

Miko zwaaide naar me vanaf de top van de heuvel. Daar ging hij, weg uit mijn leven.

Dat ik bij Phil in zijn vrachtauto zat, was dat een droom die ik had op het strand in Devon? Of was het strand in Devon een droom die ik had in de vrachtauto bij Phil?

De muziek eindigde met een uithaal als van een straaljager...

30

Het nieuws op de radio

... die over ons heen vloog en de hemel spleet.

Ik werd met een ruk wakker en gilde.

'Het is maar een straaljager,' zei Phil. 'Niets aan de hand.'

'Verdomme. Het leek wel het einde van de wereld.'

'De jongens zijn terug uit Irak.'

'Waarom vliegen ze zo laag?'

'Dat zullen ze wel leuk vinden. Heb je geslapen?'

Ik rekte me uit. 'Nee. Ik zat te dagdromen. Over die vriend over wie ik je heb verteld. Miko.'

'De sociaal werker?'

'Ja, die.'

'Het klinkt alsof je nog steeds een zwak voor hem hebt.'

'Wat?'

'Hij was toch je vriend?'

'Ja. Maar hij moest ergens anders heen voor zijn werk. Toen is het uitgeraakt.'

Phil zuchtte. 'Het oude liedje.'

'Zo is dat. Heb jij een vriendin, Phil?'

'Ik?'

'Ja, jij.'

'Al tijden niet meer. Het komt door dit werk. Je blijft nooit ergens lang genoeg.' Zijn handen kwamen omhoog van het stuur en vielen weer terug. 'Misschien kan ik maar beter alleen blijven.'

'Dat gevoel ken ik.' We kwamen langs heggen die iemand had gesnoeid als een stel reusachtige egels, en toen langs een vijver met waterlelies en van die bomen eromheen die omlaag hangen tot aan het water.

'Zie je die bomen?' zei ik tegen Phil.

'De wilgen?'

'Ja. Ik heb net een grapje bedacht.'

Phil glimlachte. 'Laat maar horen.'

'Waarom treuren wilgen?'

Hij zoog zijn wangen in en blies toen uit. 'Ik zou het niet weten. Waarom?'

'Ze balen van hun eigen spiegelbeeld.'

Phil gierde het uit. 'Net als ik de ochtend na een avondje uit,' zei hij. 'Hé, moet je dat bord zien.'

Ik keek, maar snapte er niets van: SIR FYNWY.

'Wie is Sir Fijnwij?' vroeg ik.

Phil grinnikte. 'Het is Welsh voor Monmouthshire. We zijn in Wales.'

Wales. Je zult het niet geloven, maar het was meteen anders. We reden een weg af met een bruine berg voor ons uit. In een wei lagen allemaal zwartbonte koeien bij elkaar in een hoek. Daarna kwamen we langs een groot vervallen kasteel met één toren die nog overeind stond. In gedachten zette ik er een vrouw bovenop, het kon mijn moeder zijn, in een lange jurk met wijde mouwen en een kegelhoed op haar hoofd. Misschien wachtte ze op haar ridder om haar te komen redden, of misschien tot ik kwam aanrijden over de bergweg. In de verte doemde een hele bergketen op. De radio maakte piepgeluiden en Phil zette hem harder.

'Dat is het nieuws,' zei hij.

Ik luisterde niet, maar rommelde in mijn tas op zoek naar mijn lippenstift. De keurige stem van de nieuwslezer drong maar af en toe tot me door, terwijl ik mijn lippen bijwerkte. 'De politie onderzoekt de dood van een baby bij een brand in Leeds... De aartsbisschop van Canterbury heeft zijn bezorgdheid uitgesproken... In Pakistan is in de hoofdstad een bomaanslag gepleegd, met veertien doden...' We reden een tunnel in, met witte lichtjes aan de ene kant en gele aan de andere kant. De radio kraakte en ik kon niet doorgaan met de lippenstift omdat ik niets meer zag in het zijspiegeltje. We schoten de tunnel uit. 'De minister-president ontkent dat hij op de hoogte was van het memorandum... De politie is op zoek naar een veertienjarig meisje dat sinds gisteren vermist wordt uit haar woning in Zuid-Londen...'

Mijn hart stond stil.

'Ze heeft voor het laatst van zich laten horen vanuit Oxford...'

Stommeling, dacht ik. Dat was het telefoontje naar die Gayle. Ze hadden het ontdekt.

'Er wordt nog niet gevreesd voor een misdaad, maar het meisje wordt dringend verzocht contact op te nemen met haar pleegouders...'

De weg raasde onder ons voorbij en ik staarde naar mijn lippenstift, maar ik zag hem niet en ik voelde mijn wangen heet worden.

Phil zei niets. Ik gluurde opzij. Zijn handen lagen nog net zo op het stuur en zijn ogen keken recht vooruit.

Heel traag bracht ik de lippenstift weer naar mijn lippen. Toen ik klaar was, streek ik mijn pony goed.

'Mooi hier,' zei ik zo ontspannen mogelijk door de stem van de nieuwslezer heen. 'Met die kastelen en zo.'

'Wat?'

'Het is mooi. Wales.'

'Sorry, ik was ver weg. Dat is het probleem met lange afstanden rijden. Soms ben je opeens een heel uur kwijt.'

'Net als op school,' zei ik, maar toen herinnerde ik me dat ik Solace was en niet meer op school zat. 'Vroeger, bedoel ik. Bij wis- en natuurkunde hoorde ik soms helemaal niets meer. Ik heb maar twee deelcertificaten gehaald.'

'Ik maar één.' Phil zuchtte diep. 'Voor godsdienst. Misschien ga ik het allemaal nog eens overdoen.'

Ik keek naar mijn afgekloven nagels. 'Hé, Phil,' zei ik. 'Hoe komt het dat je niet verongelukt als je wegdroomt tijdens het rijden?' De stem op de radio had het nu over het weer en zei iets over onweer en regenbuien.

'Afkloppen.'

'Ja. Maar hoe komt het?' Ik moest hem afleiden van wat ze op het nieuws hadden gezegd.

'Het zal de automatische piloot wel zijn.' Hij keek me even aan. 'Kun jij rijden?'

'Alleen op een hobbelpaard.'

Phil glimlachte. 'Wil je het leren?'

'Ja. Ik heb al een paar lessen gehad.'

'Echt waar?'

'Ja.'

‘Ik vind rijden heerlijk,’ zei Phil. Hij schakelde en ging harder. ‘Maar soms word je na een paar uur gehypnotiseerd door de witte strepen. Dan zet ik de radio aan om wakker te blijven.’ Hij haalde heel even zijn handen van het stuur. ‘Je hoort de gekste verhalen op de radio.’

Had hij nou argwaan of niet?

We reden bijna stapvoets door het stadje Abergavenny, doordat we vastzaten achter een pick-up. Ik staarde naar een afhaalrestaurant dat Balti Bliss heette, en naar winkels waar de raarste dingen zoals wasmachines, emmers en leren stoelen tot op straat stonden. Ik vroeg me af of ik niet beter bij de stoplichten uit de auto kon springen om ervandoor te gaan. Maar ik liet de kans voorbijgaan en we reden de stad weer uit.

Als hij dacht dat ik het meisje was uit het nieuws, was hij rechtstreeks naar het politiebureau gereden, dacht ik.

Maar toch. Phil keek telkens naar me alsof hij zich iets afvroeg. En elke keer dat hij het deed, voelde ik mijn wangen heet worden en tintelen.

Huizen klampten zich vast aan de hellingen. Ik zag iets harigs op de weg liggen, nogal lang en dun, en helemaal platgereden.

‘Jakkes!’

‘Dat was een nerts,’ zei Phil.

‘Een nerts? Waar ze jassen van maken?’

‘Ja. Ze komen steeds meer voor, heb ik gehoord.’

Wat moet ik doen?

‘Daar zal de bonthandel blij mee zijn,’ zei Phil.

Het werd warm en benauwd in de vrachtwagen.

We kwamen door een volgende plaats, nogal klein en zelfingenomen. Er waren rijen huizen met bloembakken op de vensterbanken, vol roze en zachtpaarse bloemen. Ik zag vingers van oudjes eraan pulken. Wat een hoza-ellende. Mijn maag draaide zich om.

De lucht werd grijsbruin. De bergen waren nu donker en dichtbij.

‘Solace,’ zei Phil.

‘Ja?’

‘Ik stop even bij het volgende benzinestation. Oké?’

Hij gaat de smerissen bellen en me aangeven, schoot er door me heen. ‘Natuurlijk.’

Even later reed hij de weg af. Hij zette de wagen bij een pomp en klauterde uit de cabine om te tanken. De gedachten raasden door mijn bonzende hoofd. Ik zag dat hij zijn mobieltje tevoorschijn haalde.

Jezus. Nu ziet hij dat ik geen echt nummer heb gebeld.

Ik deed het portier open. 'Ik ga even naar de plee,' zei ik nonchalant. 'Ik ben zo terug.'

'Ik wacht wel,' zei hij. 'Pas op met uitstappen.'

'Doe ik.' Ik nam mijn tas mee en klom uit de cabine.

'Solace?' zei Phil.

'Ja?'

'Zit je in de...?' Hij fronste alsof hij was vergeten wat hij wilde zeggen. 'Nou ja, laat maar.'

Ik ging naar de wc's en spatte water in mijn gezicht. Er was geen spiegel.

Toen gluurde ik door de kier van de deur en weet je wat ik zag? Phil die aan het bellen was.

Hij waarschuwt de politie. Maak dat je wegkomt.

Ik verstijfde. Ik hoorde voetstappen buiten. Kwam hij naar me toe?

Nee, hij ging gewoon zelf naar de wc, bij de heren.

Als de weerlicht verwisselde ik mijn hoge hakken voor mijn sportschoenen.

Naast me hoorde ik een wc doorspoelen.

Nu, dacht ik. RENNEN.

Ik holde geruisloos achter het wc-gebouwtje langs, terug naar de weg. Daar klom ik over een hek, een wei in, en verstopte me achter een struik. Ik kon het benzinestation nog zien. Het was misschien vijftig meter van me vandaan.

Phil kwam naar buiten, met zijn handen in zijn zakken, en keek om zich heen.

De wereld vergat te draaien.

Hij wachtte en leunde tegen het spatbord.

Misschien riep hij mijn naam.

Hij liep om de wc's heen en klopte op de deur van de dames.

Toen ging hij de winkel binnen.

Hij kwam weer naar buiten en wachtte nog een tijdje.

Hij liep terug naar zijn vrachtauto.

Hij haalde zijn mobieltje uit zijn zak, tuurde ernaar en keek toen op. Even leek het of hij recht naar mij staarde, maar toen dwaalde zijn blik af en hij liet zijn schouders hangen.

Hij stapte in. Maar de motor startte niet.

Er gingen minuten voorbij. In de verte klonk gerommel. Onweer.

Toen startte de motor. De vrachtauto reed weg. Met Phil erin.

De wereld kwam weer in beweging.

Ik ging in het gras zitten. Samen met Solace en de tas.

De tas zakte opzij alsof hij doodmoe was.

Het meisje binnen in me dat Solace heette, ademde uit over de paardenbloemen. Dat was op het nippertje, fluisterde ze. Ze opende haar hand en daarin had ze een paar munten, die ze had gejat van Phils voorraadje. Ze had het niet kunnen laten. Ze was een slechte meid, die Solace.

Maar mijn echte ik bewoog zich niet. Holly was geplet, net zo plat als de nerts.

Het donderde weer.

Miko en Phil – altijd hetzelfde. Weg. Verdwenen. Zo was mijn leven.

Fishguard kon net zo goed in China liggen.

Ik zat in een wei in Wales, boven me rommelde een donderbui en de smerissen zaten achter me aan. De enige hulp die ik had, was een jattende glamour girl die alleen in mijn gestoorde kop bestond.

31

In de Black Mountains

Miko zei altijd dat je God kunt tegenkomen langs de weg. Misschien had hij gelijk. Ik dacht aan Phil met zijn hangende mondhoeken, lijdende ogen en treurige muziek. Hij had worstjes voor me gekocht terwijl hij zelf veganist was, en zelfs een stuk taart voor mijn verjaardag. En hij had meegeleefd met mijn in elkaar geslagen moeder en me zijn telefoon geleend. Ik had nooit veel gezien in dat God-gedoe. Zielen die naar de hemel gaan, en mensen die wegwandelen uit hun graf terwijl ze al dood zijn. Mijn moeder was natuurlijk katholiek opgevoed. Ze was tenslotte Iers, maar ze vond dat kerken zonde van de ruimte waren en niet gauw genoeg allemaal verbouwd konden worden tot mooie grote appartementen. Maar die dag, op mijn vijftiende verjaardag, 11 juni, toen ik daar in die groene wei zat, dacht ik: misschien bestaat God op een of andere manier toch. Misschien zit hij als het ware in mensen en kijkt door hun ogen naar buiten. Misschien kruipt God in je en laat je goede dingen doen, zonder dat je weet dat hij er is. Bij iemand zoals ik blijft hij vast uit de buurt. Maar hij houdt van mensen zoals Phil, met zijn groene routes en veganistische dromen.

Ik keek naar het geld dat Solace van hem had gestolen, en had zin om het weg te gooien. Maar ik kon het ook bewaren en aan de eerste dakloze geven die ik tegenkwam. Of in een kerk in een offerblok doen. Voorlopig stopte ik het in mijn tas, in het geheime vakje bij mama's barnsteenring en mijn simkaart.

Er was nog maar één stukje blauw aan de hemel en dat werd snel kleiner. Ik stond op en liep terug naar het benzinestation. Ik ging regelrecht naar de wc's en borstelde mijn echte haar. Toen zette ik de pruik weer op en borstelde die ook. Daarna ging ik naar buiten en keek omhoog naar de dreigende vuilgrijze wolken die boven de donkere bergen hingen. De lucht ervoor was schel en gelig.

... het meisje wordt dringend verzocht contact op te nemen met haar pleegouders... Fiona en Ray. Ik had hen weggestopt achter in mijn hoofd, maar nu waren ze extra sterk terug. Ik zag Fiona de eerste keer op mijn kamer in Templeton House naar me kijken alsof ik de laatste walvis was, en Ray die glimlachend naar me opkeek vanuit de tuin. Zijn schaar knipte en mijn naam zweefde in wolkenletters aan de hemel.

Ze hadden niet geloofd dat ik naar Tenerife was. Ik had trouwens niet eens een paspoort, schoot me te binnen.

Eén telefoontje, dacht ik, en het is voorbij. Dan zijn ze gerustgesteld dat ik nog leef, maar ze willen me vast niet terug. Ik kon het hen niet kwalijk nemen. Als ik Fiona en Ray was, zou ik mezelf ook niet terug willen.

Ik haalde mijn mobieltje en mijn simkaart uit mijn tas en deed de kaart weer in de telefoon om te zien of ze me nog meer berichten hadden gestuurd. Maar toen ik hem aan wilde zetten, hield hij er meteen mee op. De batterij was leeg. Waarom zouden er trouwens nog meer berichten zijn? Ze hadden waarschijnlijk schoon genoeg van me.

De bergen werden nog donkerder en er was niemand te zien. Ik schoot het benzinestation binnen en van mijn laatste eigen munten kocht ik een blikje Red Bull van de hoza-vrouw achter de kassa. Trim dronk soms drie Red Bulls achter elkaar en dan was hij niet meer te stuiten – door niemand, ook niet door Miko. Hij brulde en ging tekeer en je kreeg het gevoel dat je de dierenarts moest laten komen met een verdovingsgeweer om hem te kalmeren. Zoiets had ik nu nodig, en snel ook.

Ik ging op een muurtje zitten en klokte het drankje naar binnen. Schiet op, zei ik tegen mezelf. Je moet hier weg, voordat Phil de politie belt en ze je opjagen als een vos.

Nu begon het te bliksemen aan de hemel. Ik sjokte langs de weg en liftte ondertussen, maar er kwamen niet veel auto's langs en niemand stopte.

Het begon te regenen. Ik nam een zijweg, waar de politie me niet zo gauw zou vinden, en school onder een grote boom. Ik deed de pruik af en legde hem veilig onder in mijn tas om hem droog te houden. Er was een flits en een paar seconden later volgde er een donderslag. Ik herinnerde me de boom in *Jane Eyre*. Die wordt door de bliksem in tweeën gespleten, en mevrouw Atkins zegt dat het gebeurt omdat Rochester haar daar een aanzoek heeft aangedaan terwijl het niet mocht. Het noodlot is woedend omdat hij een vrouw heeft op zolder. Nu was het noodlot waarschijnlijk ook boos op mij, omdat ik geld van Phil had gejat. Ik liep verder langs de weg, op zoek naar een betere plek om te schuilen.

Een duif fladderde in doodsangst op uit een heg en mijn hart bleef bijna stilstaan van schrik. Toen sloeg de bliksem met een harde klap in, ergens aan de overkant van de wei naast me. Ik werd zo ongeveer binnenstebuiten gekeerd. Mijn leven was een en al slechtheid. God had vast besloten me met een bliksem te doden. Ik zou verpulveren in mijn schoenen en er zou alleen een bergje as van me overblijven. Eigen schuld.

Ik holde het smalle weggetje af. De regen kwam in grote, zware druppels omlaag en toen begon het te hagelen. Het deed pijn op mijn huid.

Ik kwam op een rare stenen burg met torentjes en een snelstromend riviertje eronder.

Ik zag een flits en meteen daarna werd de lucht verscheurd door een klap die erger was dan die straaljager. Ik gilde en maakte me klein tegen de muur van de brug.

'Jezus, red me,' riep ik.

Mijn tas was kletsnat. Straks zouden al mijn spullen doorweekt zijn, ook de pruik.

Ik klom over de muur, daalde af naar het water en kroop onder de brug. Mijn schoenen werden nat, maar dat kon me niet schelen.

Opeens moest ik aan mijn moeder denken. Zij was ook altijd bang voor onweer. Ze hing dekens over spiegels om ervoor te zorgen dat we niet gedood werden door weerkaatste bliksem. Ze trok de gordijnen dicht. Ze legde de telefoon van de haak. Ze trok alle stekkers uit de stopcontacten. En dan ging ze op de bank met de tijgerstrepen liggen kreunen. 'Waarom wonen we helemaal boven in deze stomme rotflat, Holl? Waarom?'

Het water was wit en kolkte. Ik drukte me tegen de stenen van de brug. Het onweer knalde en dreunde, soms dichtbij, soms verder weg. Ik haalde mama's barnsteenring uit het geheime vakje in mijn tas. Hier waren toch geen boeven om mijn vinger af te hakken, dus kon ik de ring wel omdoen. Hij beschermt me, dacht ik. Ik schoof hem om mijn middelvinger en sloot mijn ogen.

Maar ik kon de bliksem nog steeds zien, door mijn oogleden heen. Daarom deed ik mijn ogen weer open en staarde naar het kleine insect dat gevangenzat in het barnsteen. Hij was daar honderdduizenden jaren geleden terechtgekomen, had Miko me verteld toen ik hem de ring had laten zien. Hij zei dat barnsteen ontstond uit hars van dennen. Het was lang geleden hard geworden, zelfs nog voor er mensen waren. Het donkere vlekje zou een heel oude mug kunnen zijn, zei Miko. Of een vlieg.

Ik staarde ernaar. Hij zat gevangen. Voor eeuwig.

Mama, waar ben je?

Tussen de volgende flits en de volgende knal werd het helemaal wit en stil en helder in mijn hoofd.

En in de stilte kwam ze naar me toe.

'Holl,' klonk mama's stem hoog en hard.

Ik ben weer in de hemelflat, met het glas, het balkon en het licht. Ik loop de gang door en daar is ze, in de keuken, thee aan het zetten. Haar gezicht is bedekt met een doorzichtige sluier, zoals bij een oosterse bruid. Haar ogen glinsteren door de stof. Glimlacht ze? Ik kan het niet zien. Nee, ze is nijdig. Ze smijt de bestekla dicht en begint een blik witte bonen open te maken. 'Ga jij even naar de winkel op de hoek, Holl? Om die stomme vissticks te halen? Ik kan niet gaan. Niet zoals ik er nu uitzie.'

Een volgende bliksemflits wist het beeld uit mijn gedachten. Mama is weg. Nu wordt er op de deur geklopt. Wie het ook is houdt koppig vol. Dus ga ik opendoen. Er staat een vrouw van Jeugdzorg voor de deur, met een koffertje. Ze glimlacht en kijkt op me neer. Ik staar naar haar armband van kleurige schijven die tegen elkaar tikken.

'Is je moeder thuis, Holly?'

'Nee, mevrouw.'

'Is haar vriend er?'

'Nee.'

'Ben je alleen?'

'Ja.'

'Is je moeder even naar de winkel?'

'Kijk,' zeg ik, en ik raak haar armband aan.

'Vind je hem mooi, Holly?'

'Ja. Heel mooi.'

Ze doet de armband af en geeft hem aan mij. Ik laat de schijfjes tikken en kijk stralend naar de kleuren. 'Het lijkt erop,' zeg ik.

'Waarop, Holly?'
'Mama's glas.'
'Het glas van je moeder?'
'Niet de kleuren. Het geluid. Het gerinkel van het ijs.'

De bliksem flitst weer en mama doet de barnsteenring af. Langzaam trekt ze hem van haar vinger en ze geeft hem aan mij. Haar gezicht is bleek en haar hand beeft. 'Zorg er goed voor, Holl. Bewaar hem op een veilige plek. Voor zo'n ring hakken ze je vinger af.'

Zorg er goed voor...

Een laatste gerommel stierf weg in de bergen. Het water kolkte luider en de stemmen vervaagden. Het motregende nog een beetje, maar het onweer was weggetrokken, net zo snel als het was opgekomen. Ik wankelde onder de brug vandaan en richtte me op. Ik keek naar de ring, die glinsterde aan mijn vinger. Ik streelde hem, alsof ik het kleine insect dat erin opgesloten zat weer tot leven kon brengen.

O, mama. Ga nou niet.

Ik keek om me heen naar de rivier en de oevers, de brug, de bomen die zwaaiden in de wind, en de bergen. In het vreemde onweerslicht waren alle kleuren grijs geworden. Maar nu verschoven de wolken en de zon scheen er scheef doorheen. Alle tinten groen en bruin kwamen terug en de vogels begonnen weer te zingen. Ik viste de pruik uit mijn tas, borstelde hem met mijn vingers en zette hem op.

Ik haalde diep adem. Kalm. Kalm maar.

Ik veegde mijn ogen af en streek mijn jurk glad. Ik rilde. Ik was verkleumd geraakt met mijn voeten in de nattigheid. Ik haalde mijn broek tevoorschijn en trok hem aan onder de jurk. Een jurk met een broek eronder was uit de mode, maar misschien vonden ze dat hier in Wales nog cool. Het zou kunnen.

Solace praatte me moed in. Holl. Als je dat noodweer hebt overleefd, kun je alles overleven, meid. Jou houden ze niet tegen. Geloof me.

Het water sopte in mijn schoenen toen ik terugklom naar de weg. Ik trok ze uit, knoopte de veters aan elkaar en hing ze aan de riem van mijn tas. Daarna trok ik de sandalen aan. Ze deden pijn, maar ze waren tenminste droog.

Ik liep langzaam over de zijweg terug naar de A40. Ik liet me niet klein krijgen door een onweersbui. Geen politieman zou me zo herkennen. Ik was blond en volwassen, geen meisje van vijftien met bruin haar. Ik ging verder liften, tot ik bij de pont naar Ierland was, en dan was ik vrij. Mama, dacht ik, blijf waar je bent. Ik kom met elke stap dichterbij.

32

De vrachtwagen vol varkens

De weg glinsterde en het licht was warm en schel na het noodweer. Ik stond aan het begin van een ruime invoegstrook, dicht bij een hek naar een enorme wei met schapen. Als je zou proberen om ze te tellen, zou je niet in slaap vallen, maar van ouderdom sterven voor je klaar was. Ik stak mijn duim weer op. De barnsteenring glinsterde aan mijn middelvinger.

Niemand stopte. Auto's en vrachtauto's reden snel en met veel lawaai voorbij. Als ze weg waren, kon je de schapen horen blaten, en de wind die de bladeren kietelde.

Ik probeerde de truc met de paardenbloem weer. Zonder succes. Misschien was ik de enige lifter in heel Groot-Brittannië en misschien was Phil de enige chauffeur die gek genoeg was om te stoppen.

Na een hele tijd niets zag ik in de verte een auto die langzamer reed, en ik stak mijn duim weer op. De auto was wit met blauw. Ik gaapte. Hij ging een bocht om en kwam weer tevoorschijn. Hij was nu dichterbij.

Opeens drong het tot me door. Het was een politieauto.

Stommeling! Ik deed gauw mijn hand omlaag en draaide me om naar het hek. Met gebogen hoofd staarde ik naar de schapen. Ik wees met mijn vinger alsof ik ze aan het tellen was.

Hadden ze me gezien? Waren ze naar mij op zoek?

Had Phil de politie gebeld nadat ik ervandoor was gegaan?

Ik wist zeker dat de auto langzamer ging rijden om te stoppen.

Ik telde alsof mijn leven ervan afhing. Ik zag al voor me dat ze me meenamen en in een cel stopten. En dan zouden ze allemaal komen – Rachel, de politie, Fiona en Ray, de psychiaters – en ze zouden over me praten alsof ik er niet bij was. Holly heeft een chaotische, overspannen steunbehoefte, hoorde ik ze hoofdschuddend zeggen. Dat had een sociaal werker een keer gezegd.

Chaotisch en overspannen. Ja, dat kon je van me zeggen.

Maar de politieauto trok na de bocht weer op. Hij verdween uit het zicht en liet mij daar staan. Ik haalde weer adem. De wind speelde met mijn pruik. De schapen mekkerden en ik mekkerde terug. Een van ze staarde naar me en ik zweer dat hij precies op Trim leek. Hij had smalle oogjes en een lange snuit en keek alsof hij de hele wereld wilde verslinden en weer uitspugen. Ik lachte als een bezetene daar bij dat hek. Ik moest over mijn zij wrijven, omdat ik er pijn van kreeg. Als Grace erbij was geweest, zou ze het ook uitgegierd hebben.

Toen ging ik terug naar mijn plekje bij de weg.

Er kwam een rammelende veewagen aan. Het was er zo een met een cabine aan de voorkant en een open hok erachter, waar ze de koeien in stouwen. Maar ik kon niet in de bak kijken, want de zijkanten waren meer hout dan spleet. Ik stelde me voor dat hij vol zat met dieren die naar de slacht gingen. Straks zouden ze aan haken hangen bij de slager. Ik stak aarzelend mijn duim op. Toen dacht ik aan Phil die veganist was, en liet mijn arm weer zakken. Maar de vrachtauto stopte toch.

Ik kwam niet van mijn plaats. Een man deed het portier open en leunde naar buiten. Hij had een dik, rond gezicht en donker krullend haar op de achterkant van zijn hoofd. Een soort kruising van de Addams Family met Jack the Ripper. Hij grijnsde breed.

'Wil je een lift, schatje?' vroeg hij.

'Hm,' bromde ik.

'Waarheen?'

'Waar ga jij naartoe?'

'Lampeter.'

'Daar heb ik niks aan,' zei ik. Ik wuifde vanuit mijn pols alsof ik de koningin was. 'Ik moet naar Fishguard.'

'Je kunt meerijden tot voorbij Llandovery,' zei hij.

Ik herinnerde me Llandovery van de kaart, alleen sprak hij het raar uit: Clan-dove-ry.

'Llando-very, bedoel je?'

Hij sloeg zich op zijn dij. 'Wat een giller. Alsof je die paardenbloem achter je oor een paar-dén-blom noemt.'

Hij lachte bulderend. Ik glimlachte mee en pakte de paardenbloem van achter mijn oor en gooide hem op de grond.

'Ga je mee of niet?' vroeg de man.

'Wat zit er achterin?' Ik hoorde bewegen en ademen, en zag schimmen door de spleten.

'Varkens.'

'Varkens?' Ik trok mijn neus op. Ik dacht aan Phils verhaal over de schapen waarbij een stuk uit hun oor werd geknipt voordat ze werden geslacht. Ik stapte naar voren en gluurde tussen de planken door. Ik zag bleke stoppels en donkere vlekken. Toen hoorde ik snuiven en stampen.

'Hou je niet van varkens?' vroeg hij.

'Ja hoor,' zei ik.

'Nou, waar wacht je dan op? Ze bijten niet. Kom erin.'

Ik wist niet wat ik moest doen. Ik dacht aan de politieauto. Eigenlijk moest ik maken dat ik hier wegkwam. Maar deze kerel gaf me geen veilig gevoel zoals Phil. Ik keek naar zijn ogen en de rimpels eromheen en dacht: hij is een gewone vrachtwagenchauffeur, Holl – geen bijlmoordenaar.

'Oké,' zei ik. Ik klom in de cabine en deed de gordel om. Ik zat niet zo hoog als in Phils truck en het was smeriger en het rook naar zweet en peuken. Maar toen we eenmaal reden, flitsten de witte strepen als oude bekenden voorbij. De wagen rammelde alsof de varkens met zijn allen aan het tapdansen waren.

'Hoe heet je?' vroeg de man. 'Ik ben Kirk.'

Ik had net een plastic fotolijstje ontdekt dat aan de achteruitkijkspiegel bungelde. Er zat een foto in van een vrouw, met haar hele bovenlichaam erop. Ze had blond haar en blauwe ogen, en geen kleren aan. Mijn maag maakte een salto.

'Heb je er geen?'

'Wat?'

'Een naam.'

'O, ja,' zei ik. 'Solace.'

Kirk hield zijn hoofd schuin als een hond die iets niet begrijpt. 'Solace?'

'Ja.'

Hij grinnikte. 'Heel bijzonder. Mooi.'

Hij is vast ongevaarlijk, zei ik tegen mezelf. Er zijn zo veel mannen die dat soort foto's hebben. Weet je nog dat tijdschrift dat Trim had? Dat was veel smeriger. En Trim was normaal, toch? Nou ja, als Trim normaal was, kon je Hitler een heilige noemen, bedacht ik. Oké dan, Trim was niet bepaald normaal. Maar ik kon hem aan, hè?

'Wat kijk je ernstig,' zei Kirk. 'Zit de fiscus achter je aan?"

'Hè?'

'De belastingdienst.'

'O. Haha. Nee hoor.'

'Bij mij wel,' zei Kirk. 'Ik heb al vijf jaar geen aangifte gedaan. Zal ik de radio aanzetten?'

'Nee, laat maar,' zei ik. Ik had geen behoefte aan nieuws. 'Hé, Kirk?'

'Ja?'

'Hoe zit het met die varkens?'

'Wat?'

'Zijn ze van jou?'

'Nee, ik ben alleen de chauffeur.'

'Waar breng je ze naartoe?'

'Dat zei ik toch. Lampeter.'

'Ja, maar als ze daar zijn, waar gaan ze dan heen?'

'O, ik snap het al.' Kirk sloeg op het stuur en lachte. 'Je bent zo'n dierenbeschermer.'

'Ik vroeg het me alleen af. Gaan ze naar de slacht of zo?'

'Deze lading gaat naar een varkensboerderij,' zei hij. 'Voor de fok, geloof ik.'

'De fok?'

'Ja. Maak je geen zorgen, schat. Vanavond rollen ze in de modder en eten eikels.'

'O, dat is fijn, Kirk.' Ik besloot dat hij misschien aardiger was dan hij eruitzag. De naakte vrouw in het lijstje kon me niets meer schelen. De varkens liepen geen gevaar en ik was zelf ook veilig, al was de vrachtwagen een oude rammelkast. Niemand, helemaal niemand, wist waar ik was. We reden zwijgend verder en lieten de regenplassen opspatten. De bergen werden hoger en mistiger. Ze dansten als blauwe spoken.

We kwamen langs een oude kroeg van natuursteen, die helemaal verlicht was met kerstlampjes, hoewel het juni was en klaarlichte dag. Miko had een keer gezegd dat arme mensen de kerstverlichting vroeg aanbrengen omdat ze wel wat extra hoop kunnen gebruiken, terwijl rijke mensen het pas op het laatste moment doen, vlak voor Kerstmis, omdat ze al meer dan genoeg hoop hebben. Maar ik had nog nooit kerstverlichting in juni gezien. De mensen in die kroeg moesten wel heel wanhopig zijn.

We reden langs Brecon en ik zat met mijn handen op mijn tas en streek over mama's barnsteen.

'Dat is een mooie ring,' zei Kirk, terwijl hij opzij keek.

Voor zo'n ring hakken ze je vinger af, ging het door mijn hoofd. 'Het is rommel,' blufte ik. 'Uit een knalbonbon.'

'Dan heb je geluk gehad,' zei Kirk. 'Bij mij zitten er hooguit stomme grappen in.'

'Dat gevoel ken ik.'

'Zal ik je een melige grap vertellen?'

'Mij best,' zei ik.

'Wat leeft in zee en vermoordt zeemeerminnen?'

'Geen idee.'

'Raad eens.'

'Een haai?'

'Nee.'

'Een walvis?'

'Jack the Kipper.' Hij gierde alsof het de beste grap was die hij ooit had gehoord. En misschien was dat ook zo, voor een Jack the Ripper-lookalike.

'Leuk hoor,' zei ik en ik lachte hard. Zo zijn sommige grappen. Net als mijn grap over de wilgen. Zo melig dat ze weer leuk zijn. Het deed me denken aan een rare jongen bij mij op school. Hij heette Max en was zo verschrikkelijk niet grappig dat het weer grappig was. Hij was een ongelooflijke nerd met tienen voor wiskunde en kleedde zich als een hoza van vijftig jaar geleden. En weet je wat zijn hobby was? Klokken luiden. Niet te geloven, hè? Klokken luiden! Dat is zo uncool dat het weer cool is. Misschien moeten we allemaal meegaan met Max, zei ik tegen Karuna, en zelf ook klokken luiden. DING-DONG. Ze dacht dat ik een grapje maakte, en lachte. Maar het leek me best cool als Karuna en ik samen met Max een stel reusachtige klokken zouden laten galmen over Zuid-Londen.

De bergen werden lager. De weg slingerde en de veewagen ook.

'De varkens vliegen vast door de lucht,' zei ik toen we over een grote hobbel reden. De witte streep was nu ononderbroken en af en toe stond er op het asfalt geschilderd: SLOW ARAF. Ik staarde ernaar en vroeg me af wat

ARAF betekende. Misschien was het een afkorting. 'Anders Rijd je in de Afgrond' of zoiets. Ik hoorde Miko al met zijn ergste punkstem galmen: 'Afgrond... Afgrond...' Maar toen snapte ik het opeens. We waren in Wales. Dus was ARAF waarschijnlijk Welsh voor 'langzaam'.

Toen zag ik een bordje waarop stond: LLANDOVERY 1.

Met elke bocht kwam Fishguard dichterbij.

We reden dwars door het centrum van de stad en over een spoorwegovergang, en toen de stad weer uit en een diep dal in, met rotsgrijze wanden waaruit planten groeiden.

We kwamen bij een parkeerplaats en Kirk reed de weg af. Ik had het gevoel dat ik net was ingestapt, maar de rit was nu al voorbij.

'We zijn bijna bij de afslag naar Lampeter,' zei Kirk. 'Je kunt beter hier uitstappen. Tenzij je natuurlijk...' Hij haalde zijn schouders op en grijnsde.

'Wat?'

'Tenzij je zin hebt om met me mee te rijden en uit eten te gaan.'

Een afspraakje met een kerel met zijn haargrens op zijn achterhoofd en een gestoord gevoel voor humor? Het blondje aan de achteruitkijkspiegel zwaaide en ik pakte mijn tas stevig vast.

'Bedankt hoor, Kirk.' De varkens achterin schuifelden alsof ze eruit wilden. 'Dat is heel aardig van je. Maar weet je, ik heb afgesproken met mijn vriend.'

'Je vriend?'

'Ja. We nemen de nachtboot naar Ierland. We beginnen een nieuw leven. Hij wordt jockey en ik danseres.'

'Danseres?'

'Ja. Echt chic. Ballet en zo.'

'O.' Hij leek teleurgesteld. 'Dus je gaat daar wonen?'

'Ja. Drew en ik. We zijn allebei in Ierland geboren.'

'Ga weg.'

'Echt.'

'Met dat haar? Ik dacht dat je uit Zweden kwam.'

'Haha. Bedankt voor de lift.' Ik opende het portier.

'Hé, Solace. Voor je weggaat. Krijg ik er eentje?'

'Wat?'

'Een heel kleintje maar?' Hij tuitte zijn lippen alsof hij een kans van één op de miljoen had dat ik het zou doen.

‘Vandaag niet,’ riep ik. ‘Dan wordt mijn vriend jaloers.’ Ik sprong naar beneden, sloeg het portier dicht en wuifde dat hij moest wegrijden. Kirk haalde zijn schouders op en zijn mondhoeken gingen omlaag alsof hij heel verdrietig was. Maar ik kon zien dat hij het een grote grap vond. Hij knipoogde, haalde de truck van de rem en toen reed hij met veel lawaai weer de weg op. De beesten achterin werden gek.

‘Geef die maar aan de varkens, Kirk,’ riep ik hem na.

33

154 auto's later

De zon ging onder achter de bergen. Ik had geen idee dat het al zo laat was. Ik besloot de auto's te tellen.

Er kwamen tien personenauto's voorbij. Een vrachtauto. Nog vijftien personenauto's. Zesentwintig. Ik dacht aan Jane Eyre op de heide, die 's nachts in het lange gras moest gaan liggen. Wat een leeghoofd, die meid. Ze had haar koffer achtergelaten in het rijtuig, ook haar sieraden niet meegenomen, en nu had ze niets meer. Hoe dom kun je zijn? Als ze was meegegaan met Rochester, zoals hij had gevraagd, zou ze lekker aan de Rivièra hebben kunnen leven, behangen met juwelen, en met witte handschoenen tot aan haar ellebogen. Maar dat hele verhaal was toch om je te bescheuren? Ik zou die vrouw op zolder meteen bij het eerste enge gelach ontdekt hebben. De schrijfster was ook niet helemaal helder volgens mij. Een wit busje. Nummer zevenenveertig. Hier was ik dan midden in Wales. Ik liep langs een weg als een groene tunnel en de lucht was koel. Maar ik ging vannacht heus niet in een wei liggen. Ik streek over de barnsteenring. Of mijn sieraden kwijtraken. Echt niet.

Er kwam een auto aanracen alsof het een wedstrijd was. Nummer drieënzestig. Ik had nog nooit een motor zo hard horen brullen. Ik stak mijn duim op, maar met die snelheid zou de chauffeur me vast niet zien, laat staan dat hij zou stoppen. Hij haalde een andere auto in en scheurde de bocht om. Toen hoorde ik keihard piepen.

Ik drukte mijn handen tegen mijn oren. Ik zag de auto al over de kop gaan zoals in de film, zodat de benzine over de weg stroomde en de mensen geplet werden en alles in brand vloog. Maar ik had alleen gepiep gehoord, geen klap.

Er kwam een auto van de andere kant. Hij knipperde met zijn lichten en toeterde. Blijkbaar was het net goed gegaan.

Ik grijnsde. Trim zou een moord hebben begaan om in zo'n auto te rijden. Ik zag al voor me hoe hij tekeerging als een wegpiraat, met Grace naast zich, die tegen hem zei dat hij zich niets moest aantrekken van de witte streep.

Maar de lach verdween van mijn gezicht toen ik aan dat jochie van Kavanagh dacht met zijn speelgoedautootjes. Ik had het vreselijk gehad bij de Kavanaghs, omdat ze altijd partij kozen voor hun zoontje, dat hun grote trots was. Ik was het pleegkind, net zoals Jane Eyre met haar vreselijke neef en nichtjes. Maar goed, dat joch had een heleboel autootjes, waarmee hij over de keukentafel racete. Ik herinnerde me dat hij een keer een groen autootje over de rand liet rijden, zodat het op de grond kletterde. Hij stampte erop en riep: 'Daar zat jij in, Holly Hogan. Nu ben je dood.' Als hij zijn zin niet kreeg, gilde hij zodat het pijn deed aan je hoofd. Als ik zo had gegild, zou ik een pak slaag hebben gekregen, maar hij nooit.

Mijn tijd bij de Kavanaghs duurde eindeloos. Maar op een dag werd ik wakker en vond de foto van mama, die ik op mijn nachtkastje had staan, in stukken gescheurd op mijn bed. Ik begon keihard te gillen, harder dan dat joch ooit had gedaan. Er was een stukje met een blote voet en een enkel in het zand, dwars doormidden. Een halve arm, die haar slappe hoed vasthield tegen de wind. Haar middel zo gescheurd dat je de helft van haar groene bikini zag. Haar gezicht was zo versnipperd dat je helemaal niets meer kon zien, geen lippen, geen ogen, niets. Ik brulde het hele huis bij elkaar. Mevrouw Kavanagh kwam binnen en schreeuwde tegen me. Ik wees naar de verscheurde foto en zei dat het joch dat had gedaan omdat hij me haatte. Ze snoof en zei dat ik het natuurlijk zelf had gedaan, want haar zoon zou zoiets nooit doen. Ik trappelde met mijn voeten op de matras en toen vloog het nachtlampje door het raam. Dat was het eind van die plaatsing.

Honderd auto's en vrachtauto's, op de kop af, maar geen lift.

Grace had tien plaatsingen gehad en was daarmee de kampioen van Templeton House. Maar het ging elke keer mis. Trim was nog nooit ergens geplaatst. Je moest knettergek zijn om het met hem te proberen. En voor mij waren Fiona en Ray beslist de laatste keer. Je naam geschreven met wolken, Holly. Ik kneep mijn ogen stijf dicht, maar ik hoorde nog steeds Ray's stem.

Ik bleef mijn duim opsteken. Honderddertig en dat was nog lang niet de laatste. Er cirkelden allemaal akelige steekvliegjes rond mijn hoofd. Ik maaide met mijn handen door de lucht en ging sneller lopen, maar ze kwamen gewoon mee. Het was om stapelgek van te worden. Zoals ik liep te krabben en springen leek ik volkomen gestoord.

Op die manier nam niemand me mee.

Er kwam een bus langs en ik stak mijn hand op, maar hij stopte niet.

Ik telde 153 auto's en vrachtauto's, en één bus. Dat waren 154 voertuigen die voorbijgekomen waren zonder dat ik een lift kreeg.

'Haast je, Holly Hogan,' hoorde ik Miko zingen in mijn hoofd. 'Voordat de weg verdwijnt onder je voeten.'

Zo zou ik toch nog in het lange gras moeten slapen.

34

De jongen op de motor

Voertuig 155 was een heel ander verhaal. Het had geen vier wielen, maar twee. Een motor. Hij kwam zo hard de bocht om dat ik mijn duim maar net op tijd omhoogstak. Toen gebeurde er een wonder. Hij stopte een klein stukje voor me.

Ik wankelde op mijn hoge hakken zo snel mogelijk naar hem toe. Het was net alsof ik naar een bezoeker uit de ruimte liep, want ik kon geen gezicht zien, alleen een zwarte ruimtehelm en een zwart leren pak.

'Hallo,' riep ik.

Geen antwoord.

Misschien sprak deze bezoeker uit de ruimte geen Engels.

Toen ik dichterbij kwam, zette hij zijn hoofd af. Grapje. Hij zette zijn helm af. Ik verwachtte half dat er geen hoofd in zat, maar het was gewoon een jongen met puisten. Als ik zoveel last van acne had, zou ik ook een helm dragen. Altijd.

'Wil je mee?' vroeg hij met een zangerige stem.

'Graag.'

'Ik ben zomaar aan het rijden,' zei hij.

'Oké.'

'Waar ga je naartoe?'

'Fishguard.'

'Fishguard? Dat is nog een heel eind.'

'Ik moet naar de pont.'

'Ik kan je niet helemaal brengen.'

'Oké.'

'Andúril en ik maken zomaar een ritje,' zei hij, en hij gaf zijn motor een klopje alsof het een renpaard was.

'Andúril?'

'Zo heet mijn motor. Heb je nog nooit van Andúril gehoord?'

'Nee.' Hij wachtte en wilde blijkbaar dat ik het vroeg. 'Wie is Andúril?'

'Wát is Andúril, moet je vragen.'

'Oké, wat is Andúril?'

'Aragorns zwaard natuurlijk.'

Ik keek hem blanco aan.

'Aragorn uit *In de ban van de ring*. Die ken je toch wel?'

'O ja. Met al die orks en elfen.'

'Het gebroken zwaard is opnieuw gesmeed,' zei hij dramatisch. Hij gaf de motor weer een klopje en liet hem razen.

Ik glimlachte. 'Mooi zo,' zei ik.

'Wil je mee? Ik kan je naar Llandeilo brengen. Misschien kun je daar de bus nemen.'

'Graag.'

Hij klapte een vak open en haalde er een tweede helm uit. 'Zet die maar op,' zei hij. 'Het is verplicht.'

'Oké.' Ik trok de helm over mijn pruik. Daarna hees ik mijn tas strak op mijn rug en klom achter hem, met aan elke kant een been. Mijn hart bonsde.

'Je kunt je armen om mijn middel slaan als je wilt,' zei hij.

Ik kende zijn soort. Hij was zo'n kansloze puistenkop, zoals Grace ze noemt. Ik hield mijn armen langs mijn zij, maar zodra hij optrok, gilde ik en ik greep zijn jack vast.

Over het eerste deel van de rit kan ik je niet veel vertellen, want ik had mijn ogen stijf dicht. Maar ik rook zijn leren pak en voelde de koude wind.

Ik had tien keer dood kunnen zijn op die motor. Elke keer dat hij een bocht nam, moest ik mijn knie optrekken omdat die anders over de grond schuurde. Ik kon merken dat hij het fijn vond zoals ik me aan hem vastklampte. Maar als ik me niet vastklampte, was ik dood. Eindelijk deed ik mijn ogen open. Ik legde mijn wang tegen zijn rug en keek naar de heggen die langsflitsten. Ik zag witte en paarse vlekken, onderbroken door boomstammen, en de weg die voorbijstoof met glinsterende, zilverkleurige plekken op het asfalt.

Ik rechtte mijn rug. Stel je niet aan, meid. Dit is helemaal te gek. De groene bladeren vormden een dak boven mijn hoofd en ik had het gevoel dat we wel tweehonderd gingen.

'Harder!' gilde ik naar de jongen.

Ik weet niet of hij me hoorde, maar we raasden recht vooruit als een kogel de bloedrode zon tegemoet die als een te hard opgeblazen ballon boven de heuvel zweefde. De motor sprong de lucht in alsof hij hikte. Toen kwam er een vrachtauto hard een bocht om, en ik dacht dat we er geweest waren. Ik klampte me vast en kneep mijn ogen dicht, maar ik voelde dat de jongen lachte.

Even later reden we een stadje binnen. Huizen, stoepen, borden. Hij ging langzamer rijden. Hij remde zo hard voor een stoplicht dat het leek of ik een schop kreeg. Het licht werd groen en hij spoot ervandoor alsof hij enorme haast had. Ik gleed bijna van de motor.

Hij stopte met een ruk bij een begraafplaats en ik dacht: daar komt hij binnenkort terecht – onder de grond.

Ik stapte af. Mijn benen waren veranderd in spaghetti.

'Einde van de rit,' zei hij. 'Llandeilo.'

'Oké, bedankt.'

'Vond je het leuk?' vroeg hij.

'Ja. Geweldig.'

'Waren we niet te sloom voor je?' Hij gaf Andúril een klopje.

'Nee hoor.' Ik klapte het vizier van de helm omhoog en probeerde het ding over mijn oren omhoog te trekken. Ik voelde dat mijn pruik meekwam.

'Zal ik helpen?' vroeg hij.

'Nee, dank je. Het gaat wel. Wat is dat voor rare vogel op die grafsteen?'

Toen hij zich omdraaide om te kijken, zette ik snel de helm af, met pruik en al. Ik trok de pruik weer over mijn hoofd en streek hem goed.

'Welke vogel?' vroeg hij verbaasd.

'Die zwarte. Een arend of zo.'

'Arenden zijn niet zwart.'

'Een raaf dan.'

'Ik zie hem niet.'

'Nou is hij weg,' zei ik, terwijl ik aan de pony van de pruik friemelde. 'Laat maar.'

Hij draaide zich weer naar me toe, klapte zijn vizier op en staarde me aan. 'Je haar zit woest,' zei hij.

'Ik borstel het straks wel.'

'Ik vind het leuk zo,' zei hij.

Ik merkte dat hij niet weg wilde. Ik glimlachte vriendelijk. 'Bedankt voor de rit.'

Hij schraapte zijn keel. 'Hoe heet je?'

'Solace,' zei ik. 'Ik ben de enige Solace in de hele wereld.'

'Mooie naam.' Hij keek me in mijn ogen. Ik haalde mijn schouders op. Hij bloosde. 'Nou, Solace, ik hoop dat je de pont haalt.'

'O ja, de pont. Dank je.'

'Het ga je goed, Solace,' zei hij. Hij maakte een plechtige buiging alsof ik een elfenkoningin was. Toen klapte hij zijn vizier omlaag en hief een ruimtehandschoen als afscheid.

Ik zag de spiegels en het stuur bloedrood glinsteren in het licht van de ondergaande zon, toen hij wegstoof op zijn opnieuw gesmede zwaard dat elk ogenblik weer kon breken. 'Stapelgek,' mompelde ik. Het drong tot me door dat ik wel de naam van zijn motor wist, maar niet hoe hij zelf heette. Jammer. Afgezien van de puisten was hij oké. Grace zou haar neus hebben opgehaald voor die slechte huid, maar hij had mooie donkere ogen en zijn leren pak rook lekker. Als hij me om een zoen had gevraagd, had ik het misschien wel gedaan. Je weet maar nooit. Ik glimlachte omdat hij mijn woeste haar leuk vond en 'Het ga je goed' had gezegd. En ik was blij dat ik niet als roerei op het asfalt lag.

35

De spookstad

Ik keek om me heen op de begraafplaats waar hij me had achtergelaten. Er stonden hoge bomen en er scheen een vreemd dreigend licht door de wolken, zoals kort voor een onweersbui. En de wind stak op. Niet nog meer donder en bliksem, dacht ik. Alsjeblieft. Het bleef nog lang licht toen de zon al onder was. Maar de graven waren donkere koepels en kruisen en ik hoorde de kraaien krassen boven de doden. Ik ging op een bank zitten.

Toen herinnerde ik me Phils geld dat ik in mijn tas had gestopt, en mijn belofte om het aan een kerk te geven omdat hij God in zich had. Ik liep rond het gebouw tot ik een deur vond, en probeerde hem open te maken, maar hij zat op slot.

Ik wrikte aan de knop, maar er kwam geen beweging in.

Om een of andere reden sprongen de tranen in mijn ogen.

Ik stelde me de banken voor, de geur van oude stenen en de stilte. Als het weer ging onweren, zou ik binnen veilig zijn. Wat moest ik nu doen?

Het begon weer te miezeren.

Ik had altijd van regen gehouden, maar nu was het anders. Solace was een meisje voor zonneschijn. Ze mocht niet nat worden.

Ik liep het kerkhof af en de hoofdstraat in. Het was een lange straat met dure cafés en hotels. Ik kwam niemand tegen, maar er kwam een zwart met witte hond met klikkende pootjes op me af trippelen. Hij had eenzame ogen en regendruppels op zijn golvende vacht. Ik stak mijn hand uit. Hij snuffelde en likte eraan en probeerde tegen me op te springen. Hij was ruig en rook naar een houtvuur. Mijn moeder had me verteld dat Ierse honden anders zijn dan Londense honden, herinnerde ik me. In Londen lopen ze met hun neus in de lucht aan de lijn, omdat ze o zo elegant zijn. In Ierland doen ze dutjes in deuropeningen en schamen zich dood als ze aan de lijn moeten. Als je langsrijdt in een auto, jagen ze op je banden alsof het rennende hazen zijn.

'Hé, hond,' zei ik. 'Af. Af.' Ik aaide hem over zijn kop en krabbelde hem onder zijn kin. Toen ging de hond op zijn rug liggen en liet me zijn buik zien. Dat betekent dat hij je vertrouwt. En hij had tepels, dus was het een vrouwtje. Ik wreef over haar buik en het ging harder regenen. 'Hoe heet je, meisje?' vroeg ik. 'Rosabel?' Opeens sprong de hond op alsof ze een onhoorbaar fluitje had gehoord. Ze hield haar kop scheef en ging ervandoor. Ik keek haar na en zuchtte.

Zo is mijn leven.

De pruik raakte doorweekt en ik moest hem wel afdoen. Er was niemand te zien, dus stopte ik hem veilig in mijn tas en wankelde op mijn hoge hakken verder.

Ik kwam langs een kroeg waar de deur wijd openstond. Er waren niet veel klanten, alleen een vermoeide oude man. Hij zat zonder te praten over de bar gebogen en staarde in zijn bier. Zijn gezicht was gerimpeld als verfrommeld papier. Er was nergens een barman te zien. Ik ging bijna naar binnen, maar het schoot me te binnen dat ik zonder de pruik te jong was. Misschien moet ik toch op een platte grafsteen gaan slapen, dacht ik. Mijn voeten deden pijn. Toen ik bij een bushokje kwam, ging ik naar binnen en trok mijn sportschoenen weer aan. Ze waren nog nat, maar alles was beter dan de hoge hakken. Ik keek om me heen. Het was zo'n bushokje waar je niet op een overzicht van de vertrektijden hoeft te rekenen. En een bank kun je ook vergeten. Op de ruit zat uitgekauwde kauwgum geplakt. Dat was alles.

Misschien was het een bushokje waar nooit bussen stopten.

Misschien zou de regen ook nooit stoppen.

Misschien had ik het eind van de weg bereikt.

Of het eind van de wereld.

Ik leunde tegen het glas en staarde naar de regen die tegen de andere kant spatte. Zo ging de tijd voorbij.

Geen bussen, geen auto's, geen mensen. Alleen krassende kraaien, druilende regen en wind die spookachtig door de bomen floot.

36

De vluchtauto

Ik schopte tegen de zijkant van het bushokje. Aan de overkant van de weg bewoog een gordijn. Ik had zin om een steen door het raam te gooien. Gordijngluurders zijn de ergste hoza's van allemaal. Ik wil nooit een gordijngluurder worden, dacht ik. Dan maak ik me liever van kant.

Maar het bewegende gordijn betekende in elk geval dat hier toch iemand leefde. De spookstadbetovering was verbroken. Toen kwam er een vrij jonge vrouw, die maar half hoza was, door de straat snel mijn kant op, vluchtend voor de regenwolken. Wat was ik blij haar te zien. Die vrouw was beslist een levend wezen. Haar hoza-deel droeg een vest over een lelijke blauwe jurk, maar het niet-hoza-deel trippelde op hoge hakken midden op de weg, alsof er nooit auto's reden. Er bungelde een sleutelbos aan haar vingers en ze had een tas over haar schouder.

'Hé,' riep ik. 'Komen hier wel eens bussen langs?'

Ik dacht dat ze me zou negeren, maar ze bleef staan en keek waar het geluid vandaan kwam.

'De laatste bus ging een uur geleden,' zei ze hijgend met net zo'n zangerige stem als de jongen. Dat was Wales. Nog geen Ierland, maar het ging de goede kant op. 'Je hebt pech,' zei ze.

'O,' zei ik. 'Fijn.'

'Waar ga je naartoe?' vroeg ze. 'Het wordt al laat.'

'Ik wist niet dat de bussen er al zo vroeg mee ophielden,' zei ik. 'Wat zal mijn moeder boos zijn.'

'Waar ga je naartoe?'

Ik wees de kant op waar zij zich naartoe haastte, en fronste als een baby die probeert te huilen maar even niet meer weet hoe het moet. Ik huilde niet echt, maar probeerde een lift te krijgen.

'Ik ga naar Carmarthen. Heb je daar iets aan?' vroeg ze.

'Carmarthen?' Daar zou ik al uren geleden geweest zijn als ik bij Phil was gebleven.

'Daar werk ik. Wil je mee?'

'Graag. Daar wonen we, mijn moeder en ik. In Carmarthen.'

'Welk deel?'

Ik knipperde de namaaktranen weg. 'Dicht bij het centrum,' bracht ik moeizaam uit.

'Ik werk in het ziekenhuis.' Ze klopte op haar jurk en ik begreep dat ze verpleegster was. 'Ik zal je afzetten bij het busstation. Ik zou niet weten hoe je anders thuiskomt. Maar we moeten opschieten. Ik ben al laat.'

'Ja, bedankt.' Ik liep achter haar aan, de straat af naar waar haar auto geparkeerd stond. Het was een klein ding dat eruitzag alsof het zou bezwijken onder het gewicht van twee mensen. Ze gooide wat papieren en een sweater naar achteren om de passagiersstoel vrij te maken en we stapten in. Het voelde laag aan na de vrachtauto's en ingesloten na de motor, maar het rook naar verse bloemen. Dat was haar parfum – hetzelfde als van mijn moeder. Het was bijna alsof mijn moeder ook in de auto zat, maar dan onzichtbaar.

De verpleegster startte de motor en reed weg terwijl ze tegelijk haar gordel vastmaakte.

'Wat heb je in Llandeilo gedaan?' vroeg ze.

'Ik ben op bezoek geweest,' zei ik. 'Bij mijn vriendin Holly. Ze is jarig.'

'Hadden haar ouders je niet even terug kunnen brengen, zo laat op de avond?'

'Hun auto is stuk. Anders zouden ze het wel hebben gedaan.'

'Misschien had je moeten blijven slapen. Een slaappartijtje. Dat doen meisjes tegenwoordig toch?'

'Soms. Maar niet op schooldagen.' Ik praatte alsof ik het zo vaak had gedaan, maar ik was nog nooit voor een slaappartijtje gevraagd en ik had zelf moeilijk iemand kunnen uitnodigen om naar Templeton House te komen. Misschien had ik Karuna kunnen vragen voor een slaappartijtje bij de Aldridges, maar Karuna is a) grof, b) knettergek, en c) Fiona zou zijn flauwgevallen als ze haar bloedrode nagellak zag.

'Vind je het leuk op school?'

'Gaat wel.'

'Je komt niet uit Wales, hè?'

'Nee. Mijn moeder is Iers. Maar we hebben in Londen gewoond.'

'Londen? Welke buurt? Ik heb mijn opleiding in Londen gedaan.'

'We woonden dicht bij Harrods, in een flat. Mijn moeder nam me er vaak mee naartoe om spullen te kopen.'

'Bofkont. Een verpleegster verdient niet eens genoeg om ernaar te kijken.'

'Soms is er uitverkoop,' zei ik, en ik klopte op mijn tas. 'Deze heeft mijn moeder daar gekocht. Hij kostte maar een tientje.'

De vrouw wierp een blik op de tas. 'Hij is prachtig. Echt. Ik heet trouwens Sian. S-I-A-N.'

'Sian?' De naam deed me meteen denken aan groene heuvels. 'Mooi.'

'De mensen denken altijd dat het een Ierse naam is, maar het is Welsh. Hoe heet jij?'

'Solace.'

'Solace?' zei Sian. 'Dat is pas mooi. Waar komt het vandaan?'

'Zo heeft mijn moeder me genoemd. Ze had een zoontje, Denny. Maar hij is doodgegaan. Heel zielig. Hij was pas vijf toen hij overreden werd door een vrachtauto. Kort daarna ben ik geboren en voor mijn moeder was ik haar troost, zei ze. Dat betekent het.'

Sian zuchtte. 'Wat een verdrietig verhaal.'

We kwamen langs moerasgroene velden. Aan de ene kant van ons pakten de wolken zich samen en aan de andere kant was de lucht fluwelig donkerblauw. Sian trapte het gaspedaal in en de auto bokte als een renpaard dat weinig kans maakt. Toen kwamen we langs zo'n bord met een ouderwetse camera erop afgebeeld, en Sian remde hard en de auto hikte en klonk opeens heel anders.

'Hoo!' riep ze. 'Nu ben ik alweer die snelheidscontrole vergeten. Ik ben de ongeduldigste verpleegster van de wereld. Mijn patiënten hebben geluk dat ze geen hartstilstand krijgen als ik weer eens uit de bocht vlieg met het karretje met medicijnen.'

Ik lachte en zag de gladde vloeren in het ziekenhuis voor me, en Sian die rondstoof en over de pantoffels van de patiënten reed.

Toen kwamen we weer langs een bord: CARMARTHEN OUDSTE STAD VAN WALES.

'We hebben het ergste deel van die bui gemist,' zei Sian.

Het stadje bestond uit witte huizen met grijze daken, die tegen een heuvel op kropen. In het midden stond een grimmige toren die me herinnerde aan de torens die je kon zien vanuit de hemelflat, alleen waren de ramen vies en donker in plaats van zilverkleurig.

'Hoe lang woon je hier al?' vroeg Sian.

'Bijna een jaar.'

'Hoe vind je Carmarthen?' vroeg ze.

Met dat sombere licht moest je echt niet goed bij je hoofd zijn om het mooi te vinden. Ik zag parkeerplaatsen en huizenrijen, en de donkere toren stak erboven uit als een kwade geest uit een fantasiewereld vol orks en elfen. Maar als iemand je een lift geeft, doe je beleefd.

'Met mooi licht valt het best mee,' zei ik.

Sian lachte. 'Het is voor het eerst dat ik Carmarthen zo hoor beschrijven,' zei ze. 'Als je het mij vraagt, is het een ellendig gat. Bij elk soort licht.'

'Dat zegt mijn moeder ook. Volgens haar is het erger dan een verplichte heilige dag.'

'Wat is dat?'

'O, dat is katholiek. Iers. Als je op die dag niet naar de kerk gaat, kom je in de hel.'

'Dat klinkt niet best.'

'Nee. Mijn moeder zegt het over alles waar ze een hekel aan heeft. Liften. Onweer. Londen. En haar vrienden met wie het uit is.'

'Dat moet ik onthouden voor als die van mij weer eens vervelend doet.' Sian giechelde en ik deed mee. Opeens konden we niet meer ophouden met lachen. Het leek wel of mama achterin zat met haar bloemetjesparfum en we samen in een vluchtauto zaten: Solace, Sian en mevrouw Bridget Hogan.

Ik had wel dag en nacht willen doorrijden, bij Sian in de auto, maar even later stopten we bij het busstation.

'Weet je de weg?' riep ze toen ik uitstapte.

'Ja hoor, Sian. Bedankt.'

Sian glimlachte, en gaapte toen. 'Ik ben al moe voor ik begin. Geweldig.'

'Moet je de hele nacht werken?' vroeg ik.

'Ja. Maar een nachtdienst betaalt beter.'

'Dat zei mijn moeder ook altijd.'

'Ja?'

'Ze had ook nachtdienst.'

'Als verpleegster?'

'Nee, danseres.'

Sian leek onder de indruk. 'Echt waar?'

'Ze is ermee gestopt. Ze treedt niet meer op.' Ik draaide aan de riem van mijn tas. 'Nu danst ze alleen nog in de tuin. Over het gras. Onder de waslijn. Als er niemand kijkt.'

'Ballet of modern?'

'Meestal modern. Exotisch.'

'Exotisch? Zoals in een nachtclub?'

'Ja. Maar alleen chique nachtclubs. Meestal in Knightsbridge. Daarom woonden we dicht bij Harrods. Nooit in louche tenten.'

'Klinkt goed. Dans jij ook?'

'Nee.'

'Jammer. Je hebt er het figuur voor.'

'Vind je dat echt?'

'Ja. Je ziet eruit als een echte danseres. Ga nu maar gauw naar huis, Solace. Het is laat.'

Ik zei goedendag, deed het portier dicht en glimlachte. Je hebt er het figuur voor. Ik voelde aan mijn wiegende heupen en dacht aan Grace, die altijd zei dat ik vijf kilo moest afvallen en dat mijn nek te dik was, heel anders dan haar eigen nek, die eruitzag alsof iemand hem had uitgerekt. Om nog maar te zwijgen over dat ellendige haar van me.

Sian reed zwaaiend weg. Haar autootje schokte toen het de straat uit reed. Ik zwaaide terug. Tot ziens, Sian. Ze toeterde, net alsof ze het had gehoord.

Dat was de makkelijkste lift van allemaal. Ik had niet eens mijn duim op hoeven steken, en wat is er veiliger dan meerijden met een verpleegster, zelfs al rijdt ze misschien met haar medicijnenwagentje over je voeten heen?

37

Carmarthen

Sians auto verdween en ik zag mama voor me in een groene tuin. Ze had lange benen en een slanke hals, en danste met een shirt dat fladderde aan de waslijn.

'Kijk waar je loopt,' zei een kerel die tegen me aan botste terwijl hij haastig voorbijliep. Ik keek om me heen. Een ellendig gat. Dat was niets te veel gezegd. Ik stond op een troosteloos plein met bushaltes, gebroken glas en af en toe mensen die ronddwaalden als zombies. Ik liep verder, maar kon mijn moeder niet uit mijn hoofd zetten. Ze keek droevig en ze begon iets uit te trekken – niet haar kleren, maar alleen de barnsteenring. Ze schoof hem een paar keer heen en weer over haar vinger en gaf hem toen aan mij.

Ik kocht ergens patat met kerriesaus en schrokte die naar binnen. Ik betaalde met Phils geld, in elk geval het grootste deel. Het wisselgeld stopte ik in de zak van mijn skatertop. Ik voelde me schuldig. Phil was niet zomaar een vrachtwagenchauffeur. Hij was een veganist, die God in zich had. Maar ik verging van de honger.

Ik dronk uit een smerig kraantje in een openbaar toilet en trok mijn sandalen met hoge hakken weer aan. Dat was geen goede zet. Ik wankelde omlaag langs een helling met gladde klinkers en gleed bijna onderuit. Dus ging ik op een muurtje langs een parkeerplaats zitten en trok mijn sportschoenen weer aan. Ik had schoon genoeg van die hoge hakken. Misschien namen ze wraak omdat ik ze had gestolen uit een kringloopwinkel. Ik schopte ze de goot in.

De eerste straatlantaarn ging aan en ik keek op. Daardoor zag ik het politiebureau, recht tegenover me.

Wedden dat er al een opsporingsbericht is verspreid met een volledig signalement?

Ik vroeg me af of ik misschien beter daar naar binnen kon gaan dan hier in de wind in het donker op een muurtje in Carmarthen te blijven zitten, met rondzwervende zombies om me heen.

Maar een politiecel kon ik missen als kiespijn.

Er keek niemand naar me, dus haalde ik de pruik tevoorschijn en zette hem op, om weer de dappere, onstuitbare Solace te worden. Ik borstelde de blonde haren, streek de pony goed en liep terug zoals ik gekomen was.

Ik zag een telefooncel en ging naar binnen. Ik zette de tas op het plankje, pakte de hoorn en hield hem tegen mijn oor, terwijl mensen haastig langsliepen. Ik deed mijn mond open en dicht alsof ik een dolkomisch gesprek had met mijn beste vriendin. Ik praatte en lachte als een bezetene, terwijl er niemand aan de andere kant van de lijn was.

Eerst kletste ik met Miko, daarna met Grace en toen met Trim. En Karuna. Ik zei zelfs hallo tegen gekke Max de klokkenluider. En toen besloot ik ook even iets tegen Fiona te zeggen.

'Hoi, Fi.'

Holly – ben jij dat? (Fiona, dolblij.)

'Ja. Hallo. Dat is lang geleden.'

Holly? Waar ben je? We zijn zo ongerust.

'Ik weet het niet precies. Ik zwerf zomaar wat rond, voor de lol. Je kent het wel.'

Holly. Kom naar huis. Alsjeblieft, Holly. We missen je. Ray en ik. We missen je...

Ja, vast. Ik staarde naar de telefoon. Fiona en Ray hadden het natuurlijk allang opgegeven. Ray had die baan in het noorden gekregen en ze waren aan het inpakken. Ik rilde. Ik streelde de gladde namaakhuid van de hagedissentas op het plankje en dacht aan de keer dat Fiona die voor me had gekocht op de markt op Tooting Broadway. Hij kwam niet van Harrods, zoals ik Sian had wijsgemaakt, en ook niet van mijn moeder. Het was een cadeautje van Fiona. Ik had achter haar aan gesjokt terwijl ze zich op Tooting Broadway tussen de mensen door wrong om inkopen te doen, en ik was blijven staan bij mijn lievelingskraam met handtassen. Ik was dol op de tassen in de vorm van dieren – kangoeroes, katten en zelfs een opgerolde slang – en die met kleurige bloemen erop genaaid, en een limoengroene tas waarvan mijn handen gingen jeuken. Fiona draaide zich om en zag me kijken. Ze glimlachte en kwam naar me toe. De zon scheen in haar gezicht. Toch zette ze haar zonnebril boven op haar hoofd.

'Hier blijf je altijd staan, Holly,' zei ze. 'Elke keer.'

'Ja.'

'Vind je die tas leuk?'

'Ja.' Ik nam mijn hand weg van de limoengroene tas om aan een tas te voelen die harig was als een kokosnoot. 'Mama zei altijd dat je een dame kunt herkennen aan de tas die ze bij zich heeft,' zei ik.

'Echt?' Fiona keek over haar schouder naar de versleten zwarte rugzak die ze gebruikte om te winkelen. 'Dan ben ik geen dame.'

Ik streelde een tas van namaaktijgerbont.

'Wil je liever die?' vroeg Fiona.

De tas herinnerde me aan onze bank in de hemelflat en ik zei bijna ja. Maar toen dacht ik aan Denny die er vaak languit op lag te slapen en geluidjes maakte met zijn lippen.

'Nee. Die daar vind ik het leukst.' Ik wees omhoog naar de hagedissentas, die in het zonlicht bungelde. Die had ik de hele tijd al willen hebben. Hij was echt fantastisch: zilvergroen met twee draagbanden en drie ritssluitingen met leren lipjes in de vorm van gespleten tongen, en de huid was gerimpeld en gebarsten als van een echte hagedis.

Fiona glimlachte. 'Hij is ruig,' zei ze. 'Origineel.'

Ze pakte de tas van de haak en de verkoopster zei dat hij negen pond kostte, maar dat we hem voor acht mochten hebben.

Ik wist dat Grace een moord zou hebben gedaan voor die tas. Ze was dol op reptielen en droomde ervan om een slang als huisdier te hebben en hem om haar nek te hangen. Ik pakte mijn portemonnee en keek hoeveel ik had, maar Fiona legde haar hand op die van mij.

'Holly,' zei ze, 'die krijg je van mij.'

'Maar ik ben nog lang niet jarig.'

'Nou, dan noemen we het een niet-verjaarscadeau.' Ze betaalde en de verkoopster gaf de tas aan mij. Ik hing hem meteen over mijn schouder en borg mijn portemonnee er veilig in op. De hagedis gleed op zijn plaats alsof hij er thuishoorde.

'Het staat goed,' zei Fiona. 'Flitsend.'

Ik kreeg een kerstgevoel, daar in die drukke straat tussen alle mensen. Ik pakte een band vast en trok een rits dicht. 'Dank je, Fi,' zei ik. 'Dank je wel.' Zo noemde Ray haar altijd, maar ik had het nog nooit gedaan. Het kwam er zomaar opeens uit.

Fiona zoog haar lippen tussen haar tanden en keek de andere kant op. Ze stak een hand uit naar mijn arm, maar liet hem toen langs haar zij vallen. Ze glimlachte en voegde zich weer bij de langslopende mensen. 'Kom, dan gaan we verder met boodschappen doen, Holl,' zei ze. Ik liep achter haar aan en streelde de tas en dacht aan alle vakjes en wat ik erin kon stoppen. Ik vergat helemaal om boos te zijn omdat Fiona me Holl had genoemd. Ik liep op wolken door Tooting Broadway.

Ik hield de telefoon in mijn hand, maar Fiona was niet aan de lijn. Ik smeet de hoorn neer. De hagedissentas lag uitgezakt op het plankje. Hij leek moe. De lipjes van de ritssluitingen waren een beetje gerafeld en de glans was voor een deel verdwenen door de regen. Buiten waren de straatlantaarns aangegaan, en de mensen haastten zich langs alsof de tijd was versneld. Fiona verdween. Dit was niet Tooting, maar Carmarthen, de oudste stad van Wales.

38

Het perron

Ik ging bijna terug naar het politiebureau. Ik dacht erover om naar binnen te gaan en tegen de agent achter de balie te zeggen dat ik van huis was weggelopen, en te vragen of ze me alsjeblieft terug konden brengen. Maar dan zouden ze bij Jeugdzorg een vergadering over me houden, en iedereen zou zeggen dat ik me niet aan mijn belofte had gehouden om niet meer weg te lopen. Ik zou een maand in de gesloten afdeling krijgen, net als Trim, en dan ging ik nog liever dood.

Het is voor je eigen bestwil, Holly. Dat zei iedereen altijd, behalve Miko. Die stond aan mijn kant, wat er ook gebeurde. Hij vertelde vaak hoe wild hij zelf was in zijn jeugd, veel erger dan wij. Hij had een keer een nacht in een cel gezeten voor dronkenschap. Toen hij zijn zakken moest leegmaken voor de politie, haalde hij twaalf kastanjes tevoorschijn, die hij had opgeraapt nadat hij een fles whisky had gedronken. Hij zei dat hij vijf jaar geleden was opgehouden met zuipen, nog net voordat zijn lever het begaf. Maar hij moest nog steeds naar bijeenkomsten waar zuiplappen beloven dat ze nuchter zullen blijven.

Om uit de gesloten afdeling te komen, had ik ook van alles moeten beloven. Niet weglopen. Niet tippelen op straat. Ik was zo wanhopig dat ik beloofd zou hebben om een non te worden, als ze me dan vrijlieten. Ik moest alles opschrijven om het echt te maken, en toen lieten ze me gaan. Maar nu had ik die belofte gebroken. Ze zouden me nooit meer geloven, al beloofde ik alles tien keer. Het was afgelopen met me.

Ik liep verder tussen de mensen, langs de kroegen en lege winkels, onder een klok door, waarvan de wijzerplaat vrolijk was verlicht. Ik had zin om hem stuk te gooien, net als bij de ruiten aan de Mercutia Road toen ik daar wegging. Ik zag een fles in de goot liggen en raapte hem op.

Net op dat moment versprong de grote wijzer. Het was elf uur. De klok begon te slaan. DING-DONG. Minder hard dan Big Ben, maar harder dan de antieke klok van Fiona en Ray. Ik sloeg de fles stuk tegen de stoeprand en schopte de scherven de straat op.

Waarom ben je zo boos, Holly? Miko's stem klonk zo hard in mijn hoofd dat ik bijna een sprongetje maakte van schrik.

Ik weet het niet, Miko, antwoordde ik in gedachten. Om van alles.

Als je het mij vraagt, is het hetzelfde als altijd. Het is steeds weer hetzelfde liedje, Holly...

Ik ging verder door donkere straten en liep in kringetjes. Mijn woede werd angstig en bedroefd.

Wat is het donker, dacht ik.

Wat is het koud.

Ik moet een plek vinden om te slapen.

Daklozen wikkelen zich in karton, gaan onder bruggen liggen en pissen als een hond tegen de muren. Daar had ik weinig zin in.

Ik probeerde betere plekken te bedenken. In gedachten maakte ik een lijstje.

Kerken.

Bioscopen.

Schuren.

Huizen met open gordijnen, waarvan de bewoners op vakantie zijn.

Kerken worden 's nachts afgesloten, net als degene die ik al had geprobeerd. Bioscopen zetten je na de laatste voorstelling op straat. Een schuur is oké, maar je moet inbreken om erin te komen. Net als bij huizen waarvan de bewoners weg zijn. Met mijn pech zou ik vast betrapt worden door de eigenaren die precies op het verkeerde moment thuiskwamen.

Ik sloeg een hoek om en zag een wegwijzer naar het station.

Het station. Dat is het.

Miko had me verteld dat hij vaak in stations had geslapen als hij onderweg was en cashvrij, zoals hij het noemde. Hij ging in zijn slaapzak in de hal liggen, tussen de daklozen en halvegaren. De treinen kwamen en gingen, en een vrouwenstem riep de bestemmingen om, maar niemand viel hem lastig. De volgende ochtend waste ik me en poetste mijn tanden op de wc, Holly. En ik deed of het het Hilton was.

Ik glimlachte toen ik me voorstelde hoe Miko zich schoor in de smerige spiegel en speelde dat hij een rijke stinkerd was. Ik volgde de wegwijzer en vond het station. De loketten waren dicht en er was niemand te zien. Je kon gewoon doorlopen naar de perrons. Ik keek naar het bord met de vertrektijden, alsof ik een echte reiziger was die zich afvroeg wat hij nu zou doen. Zo ontdekte ik de nachttrein. CARMARTHEN 00.47 FISHGUARD HARBOUR 01.40. Dat stond er.

Even dacht ik dat ze de volgende middag bedoelden. Maar toen begreep ik dat het zevenenveertig minuten over twaalf betekende. Toen dacht ik dat die trein vast alleen in het weekend ging. Of misschien was het een oude dienstregeling. Er zou op dat tijdstip heus geen trein komen. Ik was de enige op het perron en er was niemand om mijn kaartje te controleren. Bovendien wist ik niet op welk perron de trein zou stoppen, en het was nog lang geen 00.47 uur.

Maar diep vanbinnen was ik opeens weer tot leven gekomen. Die trein heeft het lot voor je uitgezocht, zei ik tegen mezelf. Fishguard is je verjaarscadeau.

Ik stak het spoor over en liep over het andere perron naar een elektronisch bord dat ik had ontdekt. De volgende trein vertrekt om 00.47 uur naar Fishguard Harbour, stond er in letters met de kleur van mijn barnsteenring. Zie je wel. Die trein is voor jou bestemd, Holly.

Ik ging op een koude bank zitten en werkte mijn lippen bij. Ik moest een uur en negenendertig minuten wachten. Ik zette Storm Alert aan, sloeg mijn armen om me heen en stampte met mijn voeten, terwijl Drew in mijn oor zong: 'Somebody's working late.' Dat nummer had me nooit veel gedaan, maar nu wel. Ik herhaalde het drie keer en dacht aan Ray op kantoor, doorwerkend tot 's avonds laat, ergens ten noorden van de rivier. Hij zat over zijn bureau gebogen met de leeslamp aan, terwijl Fiona thuis ongeduldig op hem wachtte. Ik ging naar het volgende nummer.

De kou drong in mijn botten. Ik deed de oortjes uit. Mijn neus droop. Een deel van me zat daar op die bank en een ander deel was nog onderweg. Ik moest mezelf telkens knijpen om niet van de bank te vallen. Ik keek langs het donkere spoor en dacht: ik blijf hier voor altijd. Ik blijf hier voor altijd. Voor altijd.

Ik kon van het perron stappen en op de bielzen gaan liggen. Ik kon gaan slapen tussen de rails. Van het perron stappen en slapen tussen de rails. Slapen...

Ik schrok op en kneep mezelf. Ik had omlaag staan staren naar het spoor en was bijna gevallen. Als de trein was gekomen en over me heen was gereden, zou ik aan stukken gereten zijn. Alleen zou ik het niet hebben geweten. Ik zou nooit meer iets hebben geweten.

Ik liep heen en weer op het perron.

In de verte klonk gerommel. Eerst dacht ik dat het onweer was. Toen dacht ik aan die oude treinen in films, met stoomwolken die opstijgen rond de wielen. Ik luisterde. Het geluid stopte en ik dacht dat ik het me had verbeeld.

Nee. Daar was het weer.

Een rood licht werd groen. Verderop knetterde elektriciteit. Ik tuurde in het donker en zag verlichte rechthoeken een bocht om komen, steeds dichterbij.

Hij stopt niet, dacht ik.

Een wagon flitste voorbij. Eersteklas, met mooie lampen en gordijntjes en een vrouw die las. Het leek er niet op dat de trein ging stoppen. Toen piepten de remmen. Er ging nog een wagon voorbij, en nog een. De trein reed langzamer en stopte met een ruk en een rilling.

Ergens aan de voorkant hoorde ik een deur slaan, maar ik zag niemand. Ik stond bij het andere eind, recht voor een grote metalen deurgreep, alsof hij speciaal voor mij was gestopt. Mijn verjaarscadeau. Ik drukte de greep omlaag. De zware deur ging open.

Binnen was het klam en halfdonker. Warme lucht kolkte om me heen en trok me naar binnen. Ik stapte in en deed de deur achter me dicht. Een seconde later gleed de trein het station uit en liet het perron achter zich.

39

In de droomtrein

Ik bleef dicht bij de ingang staan. Als ze me betrappen, is het afgelopen, dacht ik. De vorige keer dat ik was weggelopen en de trein had genomen, was ik niet verder gekomen dan East Croydon. Toen moest ik mezelf aangeven, omdat de dronkaards in de trein me doodsbang maakten. Dronken mannen lopen graag wankelend door de gangpaden. Dat is nu eenmaal zo. Maar in deze trein was niemand. Er was alleen het geluid van de locomotief en het daveren van de wielen, terwijl donkere schaduwen over de vloer, de wanden en het plafond gleden. Misschien was er niet eens een machinist. Ik was alleen met de droomtrein, die wegdenderde van het aardoppervlak.

Toen kwam er een man met een honkbalpet aanlopen. Ik verstijfde. Je kon meteen zien dat hij Iers was. Ik herinnerde me van lang geleden, uit die eerste jaren in Ierland, hoe de mensen op straat eruitzagen – de mannen die rondhingen op de brug, en de vrouwen die kinderwagens voor zich uit duwden. Het leek heel ver weg, maar die mensen hadden net zulke gezichten als deze man. Het voelde vertrouwd aan. De man knikte toen hij naar me toe kwam. Zijn ogen waren rood, maar hij was niet dronken. Hij had alleen slaap nodig, net als ik.

'Is het vrij?' vroeg hij.

Ik begreep niet wat hij bedoelde. 'Vrij?' herhaalde ik.

'Het toilet?' Dat accent! Ierser kon het niet. Hij wees en ik zag dat ik voor een wc-deur stond. De wc was niet bezet.

Ik glimlachte. 'Ja hoor. Natuurlijk.'

Ik liet hem erlangs en hij ging naar binnen. Ik liep de kant op waar hij vandaan gekomen was, en stapte over het wankele deel tussen de wagons. De deur schoof open en ik kwam in een lange coupé. Hier en daar zaten mensen, maar niet veel. Twee die zacht praatten. Een die sliep. Lege koffiebekertjes. Een vrouw met haar arm rond een jongetje, dat zijn hoofd in haar oksel verborg. Hoewel hij pas een jaar of zes was, was hij net zo Iers als de man die ik net had gezien. Hij sliep met zijn mond open en hij had sproeten op zijn neus. Zijn moeder las en gaapte, en ging voorzichtig verzitten, om hem niet wakker te maken. Ze blies zacht naar zijn haren zodat zijn kuifje omhoogging, en ze glimlachte alsof hij haar eigen kostbare bezit was. Ze zag me niet voorbijkomen. Ze was in een heel andere wereld.

Niemand keek naar me. Het leek wel of ik niet bestond.

Trim zei altijd dat het doodeenvoudig is om gratis met de trein te reizen. Je ontwijkt de conducteur door rond te lopen, en als je zenuwachtig wordt, sluit je je op in de wc. Volgens hem was hij zo in heel Engeland geweest, van Newcastle, waar zijn broertje in een pleeggezin zat, tot in Gravesend, waar zijn echte vader woonde en dat nog erger is dan het klinkt. Hij had nooit een cent betaald. Eerst passeer je het toegangshek door paniekerig te zeggen dat je moeder al naar binnen is. Daarna stap je in de trein en ontloopt de conducteur. En als je bent uitgestapt, verlaat je het station door te zeggen dat je moeder al voorbij het hek is met alle kaartjes, en je wijst naar een vrouw die wegloopt met een stel kinderen. Dat geloven ze altijd volgens Trim. Maar hij is niet te vertrouwen, hij zegt ook dat hij aan boord van een vliegtuig is geboren.

Ik liep zenuwachtig verder en verwachtte dat de conducteur me te grazen zou nemen.

In het volgende gangpad zag ik een man loeren die best een controleur kon zijn. Dus liep ik snel terug. Iemand had een raampje half opengedraaid en het was koud. Ik rilde. Toen zag ik dat de wc weer vrij was. Dus sloot ik mezelf op.

Ik haalde opgelucht adem en keek in de spiegel. Behalve in mijn make-upspiegeltje had ik mezelf in geen tijden gezien.

Weet je wat ik zag?

Een treurwilg zou er droevig van worden, en niet zo'n beetje ook.

De glamour girl was nergens te bekennen. Ik leek meer op een crackverslaafde die achteruit door een heg was getrokken. Ik zat onder de vlekken en vegen, mijn haar was een warboel van blond en bruin, en mijn kraag was besmeurd met modder. Mijn ogen en mijn neus waren rood en ik had zo vaak op mijn lippen gebeten dat ze bloedden. Mijn handen beefden toen ik mijn borstel pakte. Ik zette de pruik af. Eerst borstelde ik mijn eigen haar, daarna trok ik de pruik over mijn vuist en borstelde die ook. Ik waste mijn gezicht en haalde mijn tandenborstel tevoorschijn, maar ik had geen tandpasta. Ik probeerde mijn kraag schoon te maken, maar daardoor werd de moddervlek alleen nog erger. Toen ging ik op de wc zitten en huilde. Daardoor werden mijn ogen nog roder, maar ik kon niet meer ophouden.

Miko was bij me, zoals vroeger in het tehuis als ik een totale instorting had. Huil maar zoveel je wilt, Holly. Als je dan uiteindelijk stopt met huilen, is de wereld veranderd. Beter geworden. Ik beloof het, Holly.

Maar deze keer had Miko geen gelijk. Als ik stopte met huilen, zou er niets veranderd zijn. Het licht in de wc zou nog steeds vaalgroen zijn, en het meisje in de spiegel ook. Ze keek me aan en opeens zag ik weer de kleine Holly, lang geleden in de hemelflat, met haar afgezakte sokken en hoge cijfers op school. Er klonk een fluitje en de trein zwenkte en ik klampte me vast aan de rand van de wasbak om niet te vallen. Help, riep het meisje in de spiegel naar me. Help me. Iemand. Alsjeblieft. Ik stak een hand uit en raakte haar aan. Het was alsof we samen werden teruggesleept naar de hemelflat, deze keer echt.

De verf bladdert. Er komt een vieze geur van de muren. Ik sluip door de gang in de richting van twee stemmen. Mama en Denny hebben weer ruzie. 'Je hebt al het geld dat we hadden gewonnen uitgegeven,' jammert ze. 'Wat wil je nog meer van me?' Eerst gaat haar stem omhoog en dan weer omlaag, net als het geluid van de lift. Ik blijf in de deuropening van de keuken staan. Mama bakt eieren met spek en schuift ze heen en weer, terwijl ze op de barkruk zit die Denny voor ons uit een container heeft gevist. Het lijkt wel of ze te moe is om te staan. Ze heeft haar doorzichtige drankje in de ene hand en de bakspaan in de andere, en ze draagt haar zwarte ochtendjas en een zalmkleurig slipje en ze trekt een lelijk gezicht.

'Ik heb liever iets te drinken,' moppert Denny, en hij stoot tegen haar arm.

'Verdomme,' snauwt mama. 'Nu is de dooier stuk.'

'Ik kan het niet uitstaan als de dooier stuk is, Bridge.' Denny draait zich om en kijkt naar mij. Dan rolt hij met zijn ogen. 'Ze is de beroerdste kok van heel Cork. Hè, H?' Zo noemt hij me nu. Niet lieverd of lastpak. Gewoon H.

'Ga je tanden poetsen, Holl. Vooruit.' Dat is mama weer. Ze geeft Denny een bord. 'Uit de weg jullie. Ik moet mijn bloes strijken.'

Strijken. Strijken. De trein gaat harder rijden en mama's stem wervelt mee met de wielen. Denny schreeuwt. Geld. Kreng. Leugenaar. Donder op. Een klap, een vallende stoel. Ik ben nu in de badkamer van de hemelflat en buig me over de wasbak. Ik ben bang. Zo hard hebben ze nog nooit geschreeuwd. Nooit. Ik knijp in de tube, maar hij is leeg en er komt niets uit. Dus loop ik ermee naar mama, terug door de gang. Ze is nu in de zitkamer aan het strijken. Ze wankelt op haar hoge hakken en strijkt de bloes die ik mooi vind. Hij is rood en heeft geel borduursel op de kraag en de manchetten, en op de rug staat een draak en aan de voorkant lopen kleine knoopjes schuin van links naar rechts. Ze gaat tekeer met het strijkijzer en trekt zich niets aan van Denny, die nog steeds schreeuwt. Hij staat met het bord scheef in zijn hand. De kruk is omgevallen en de eidooier op zijn bord druipt naar de rand.

'Mama.' Ze draaien zich om en staren me aan. 'De tandpasta is op.' Ik hou de tube omhoog.

'Je moet hem beter uitknijpen,' snauwt mama. Dan lacht ze als een gek. 'Gewoon goed wrijven van onder tot boven. En anders kun je het er ook uit zuigen. Doe je best.'

Ze buigt dubbel van het lachen en Denny buldert alsof we een toneelstukje opvoeren.

'Jezus, Bridge,' brengt hij met moeite uit. 'Jeugdzorg neemt je te grazen als je zulke taal uitslaat tegen je dochter.'

Ze gillen van het lachen. Ik begrijp niet waarom.

'Wegwezen, Holl. Naar bed,' zegt mama proestend.

Ze zegt dat ik weg moet, dus doe ik dat. Ik wankel uit het wc-hokje van de trein, het gangpad in. Ik blijf bij het open raampje staan en adem de koude lucht in, maar ik hoor nog steeds de stemmen uit de hemelflat, luider en luider. De trein maakt een bocht en dan komt er opeens een trein van de andere kant recht op ons af. Metaal flitst glinsterend door de lucht. Ben ik dood? Nee, dat ben ik niet. De lichten van de andere trein razen langs, dichterbij en dan weer weg. We slingeren als dronkaards en opeens is daar mama's gezicht in een coupé van de andere trein. Ik kan haar duidelijk zien. Ze kijkt over mijn schouder naar iets wat ze liever wil. Denny staat naast haar en ze wijzen, wankelen en liggen dubbel van het lachen. De eidooier druipt van het bord en ik grijp de pruik vast en dan zoeft het laatste stuk van de andere trein voorbij en is hij weg. Ze zijn allemaal weg.

40

Haast je, Holly Hogan

De trein ging langzamer rijden en de hemelflat verdween. Ergens verderop in het gangpad riep een stem: 'Uw kaartjes graag.' Ik schoot snel weer de wc in. Ik staarde in de spiegel en het gezicht dat ik zag was lijkbleek. Ik draaide de warme kraan open en depte het gezicht in de spiegel. Het werd wazig en er dropen druppels omlaag langs het glas.

'Mama?' fluisterde ik. 'Dat was jij toch niet?'

De trein zwenkte en remde.

Mijn gezicht dook op uit de mist, vertekend door de waterdruppels.

Ik pakte een papieren handdoekje en veegde de spiegel schoon. Door de wind uit het open raam stond de pruik scheef, dus trok ik hem recht. Ik zag de barnsteenring glinsteren toen ik de asblonde lokken goed streek. Nee. Zo is mama's gezicht niet. Veeg het uit. Ik probeerde met de ring een kruis in de spiegel te krassen. Maar het lukte niet. Ik kon niets doen om die herinnering aan Denny en mama voorgoed te verjagen. Ik ging weer op de wc zitten en wreef over de ring.

Hier, pak aan, Holly. Bewaar hem veilig.

Mijn hart ging langzamer kloppen en ik haalde diep adem. Dát was mama's stem. Niet die andere, spottende. Veilig. Veilig. Iemand friemelde aan de deur van de wc, maar het kon me niet schelen. Toen stopte de trein. Het bleef stil. Er sloegen geen deuren, dus wist ik dat het geen station was. We stonden alleen even stil in niemandsland. Ik deed de barnsteenring af en staarde naar de afdruk die hij achterliet op mijn vinger. Voor zo'n ring hakken ze je vinger af. Ik deed hem terug in het verborgen ritsvakje van mijn hagedissentas. 'Kijk, mama,' fluisterde ik terwijl ik de rits dichttrok. 'Nu is hij weer veilig.'

Er klonk een stem uit een luidspreker: 'Over enige ogenblikken komen we aan in Fishguard Harbour. Denk eraan uw eigendommen mee te nemen als u de trein verlaat.' Met een kreun reed de trein verder. Ik pakte mijn tas, deed de deur van de wc open en keek naar buiten. Er stonden mensen in het gangpad te wachten met koffers en rugzakken om zich heen. Ik stapte over een grote reistas om een beetje ruimte te krijgen en zette mijn tas op de grond. De trein ging harder rijden, toen weer langzamer, en ten slotte kwamen we met een schok tot stilstand langs een leeg perron.

Een man stak zijn arm uit het raam en maakte de deur van buitenaf open. Een voor een schuifelden we naar buiten. Ik was de laatste. De lucht voelde koel aan mijn wangen. Ergens boven mijn hoofd klonk een treurige kreet – een meeuw die vergeten was te gaan slapen.

Je kon de zee ruiken, maar niet horen.

Fishguard, dacht ik. Is dit echt? Ik slenterde het perron af en niemand hield me tegen. Een stukje naar beneden. Een bocht om. Een gang door. Ik kwam bij een rij voor de boot. Daar gingen we allemaal naartoe. De boot. Elke stap bracht ons dichterbij. Nog even, dacht ik. Dan varen we allemaal weg, een droom in. Nog even.

Opeens stond er iemand voor me die de kaartjes controleerde. Ik verstijfde. Wijs naar een vrouw met kinderen die er al voorbij is, hoorde ik Trim zeggen. Zeg dat je bij haar hoort. Maar er was geen vrouw met kinderen. De vrouw met het slapende jongetje was nergens te bekennen. Ik leek zelf trouwens geen kind, nu ik de pruik weer ophad. Ik was te oud voor die truc.

'Je kaartje,' zei de controleur.

Ik keek hem aan alsof ik het niet begreep.

'Je kaartje. Mag ik je kaartje zien?'

Ik zag hoe hij me aanstaarde, en dacht: nu is het afgelopen.

'Je kaartje, schat. Ik – moet – je – kaartje – zien,' zei hij alsof ik niet goed snik was.

Langzaam ging mijn hand omhoog om de tas van mijn schouder te pakken. Misschien kon ik alle vakjes openmaken en doen alsof ik mijn kaartje kwijt was. Maar mijn hand graaide in het niets. De vertrouwde band hing niet over mijn schouder. De hagedissentas was weg. Hij stond ook niet bij mijn voeten op de grond. Hij was nergens.

'Mijn tas!' riep ik geschrokken. 'Hij is weg.'

De controleur zuchtte alsof hij dat al zo vaak had meegemaakt. 'Heb je hem in de trein laten liggen? In het bagagerek misschien?'

'Dat moet wel,' zei ik bevend.

'Vooruit. Loop dan maar snel terug, schat. Voordat de trein wegrijdt. Gauw. We vertrekken zo.'

Ik knikte in paniek, draaide me om en rende terug naar het perron. Haast je, Holly Hogan. Ik rende, rende en zag de hagedissentas hangen aan het kraampje op Tooting Broadway, en Fiona die glimlachte. Voordat de weg verdwijnt onder je voeten. Ik kwam op het perron. De trein stond er nog als een slapende draak.

Ik rende langs de wagons. Welke was die van mij? Ik kwam bij de een na laatste. Dat is hem, dacht ik. In die gang heb ik mijn hagedissentas laten staan. Daar.

Op dat moment gingen de lampen in de wagons uit. Voordat je valt en valt…

Ik wilde niet terug die donkere trein in, maar ik wist dat het moest. Ik deed een stap naar voren om de deur open te maken. Maar de trein schokte, kwam in beweging en reed het station uit, de donkere nacht in.

Ik keek hem na. Daar ging mijn tas, met mijn iPod, mijn roze portemonnee, mijn mobieltje met lege batterij, mijn simkaart, mijn lippenstift, mijn spiegeltje, mijn tandenborstel en mijn haarborstel. En in het speciale ritsvakje voorin mama's barnsteenring. Nu was ik echt Jane Eyre. Mijn koffer was mee met het rijtuig. Ik was de sieraden kwijt. Net als zij had ik niets of niemand meer.

41

De haven

Ik bleef heel lang op het perron staan, terwijl Miko's reisliedje door mijn hoofd klonk. Haast je, Holly Hogan... Maar het was te laat.

In het donker, alleen, zonder tas.

Er gingen minuten voorbij. Een halfuur. Ik weet het niet. Ten slotte sloop ik weg, weer het stukje omlaag. De controleur was er niet meer. Ik zag een grote boot met verlichte dekken boven elkaar, die wegvoer zonder mij. Ik leek wel een spook. Donker en geluidloos op mijn sportschoenen sloop ik langs de muren zodat niemand me zag. Maar er was nergens een mens te bekennen. Ik wist niet waar ik in het donker naartoe ging. Ik liep langs een loket met niemand erin en toen over een parkeerplaats zonder auto's. Ik volgde een pad langs een weg en ging op een stukje vlakke grond zitten met uitzicht over de zee. Boven me kwam een halve maan door de wolken, helemaal scheef alsof hij elk ogenblik uit de hemel kon vallen.

De tijd ging voorbij.

Langzaam werd het licht.

De zee was vlak, zonder golven. Er verschenen kleuren. Op het water dobberden roze, groene, rode en oranje ballen. Ik was weer terug in Devon, samen met Miko aan de haven.

'Wat zijn dat, Miko?' vroeg ik. 'De ballen die daar drijven?'

'Dat zijn boeien.'

'Hoe bedoel je?'

'Om een boot aan vast te maken.'

Ik fronste mijn wenkbrauwen. 'Waarom drijven ze niet weg naar zee?'

Miko lachte. 'Ze zitten vast met kettingen. En een anker, denk ik.'

'Net als ik, Miko.'

'Ja. Net als jij, en net als ik. Misschien hebben we zo'n anker nodig. Mensen zoals jij en ik, Holly.'

'Nee hoor, Miko. We hebben juist vrijheid nodig.'

De boeien dobberden als luchtspiegelingen op het donkere, stille water. Ze deden me denken aan de bloedrode zon boven de heuvel in Wales, die ik vanaf de motor had gezien. Toen kwam Grace naar me toe lopen. Ze wiegde met haar heupen en gebruikte de pier als catwalk. Ik glimlachte, maar het beeld vervaagde. Ik staarde omlaag naar mijn knieën en omhelsde ze omdat ze warm en echt waren. Ik droomde weg.

Het daglicht werd sterker. Ik zag huizen op een groene klif en loodsen, en hoorde motoren. Ik keek naar de grond onder me. Ik zat op de rand van een mozaïek, waarop stond: FRANSE INVASIE VAN FISHGUARD 1797. Er waren mannen en boten op afgebeeld, en allerlei wapens. Ik staarde naar een man die een andere man met een lange stok uit een boot hees. Maar toen drong het tot me door dat hij hem aan een speer reeg.

Ik stond duizelig op. In mijn gedachten droop er geen bloed van de speer, maar eigeel.

Ik kan het niet uitstaan als de dooier stuk is, Bridge.

Wankelend liep ik weg over een smal pad, alsof ik dronken was.

Doe normaal, Holly Hogan, zei ik tegen mezelf.

Aan het eind van het pad keek ik uit over de zee. De zon kwam achter me op en het ochtendlicht was fel, zodat de zee schitterde.

Holly, hou je neus in de lucht.

Toen zag ik een donker vlekje ver weg op zee. Het kwam dichterbij en veranderde in de pont, die terugkwam als een oude vriend. Meeuwen cirkelden eromheen. Hij legde aan. De haven kwam tot leven. Auto's reden uit het ruim de kade op. Toen kwamen er nieuwe auto's aan, die wachtten om aan boord te gaan. Ze stelden zich op in zes lange rijen. Eén baan was alleen voor vrachtwagens. Ik stond op een afstandje te kijken.

Je bent op weg naar Ierland, helemaal in je eentje.

Ik liep dichter naar de auto's toe. Zeevogels hupten over de rotsen en het zeewier. Het licht was verblindend. Er klonken autoradio's, bekakte klassieke muziek vermengd met muzak. Sommige mensen stapten uit en picknickten op de kade, kochten iets te drinken, kletsten of liepen rond. Sommigen gingen naar het wc-gebouwtje. Anderen bleven in hun auto zitten wachten.

Op een bord stond dat de pont om 9.00 uur weer zou afvaren.
Om 8.15 uur waren de banen bijna vol.
Portieren gingen open en dicht. Mensen liepen af en aan.
Toen kreeg ik een idee.

42

Het ruim

Nu ben ik weer terug bij het begin.

Ik slenterde nonchalant langs de rij auto's, zodat niemand zou denken dat ik een manier zocht om aan boord te komen. Ik was niet meer bang om betrapt te worden. Het kon me niet schelen. En dan ben je het gevaarlijkst. Zo was ik die ochtend. Bad girl Solace. Trim de lastpak was er niets bij.

Vooruit, Holl. Je kunt het, fluisterde Solace in mijn oor.

Toen zag ik de donkerblauwe 4x4 van de hoza's die een heel eind verderop stonden te kletsen. De deuren waren wijd open, alsof ze erom vroegen. Voor ik het wist, was ik in de auto, onder de jassen. Toen de hoza's terugkwamen, zagen ze me niet. Ze hadden het te druk met ruziemaken over eventualiteiten. Zelfs toen de pruik afgleed, bleef ik geluk hebben. De man aan het loket zag ook niets, en de auto hotste over de oprijbrug. Er klonken stemmen, een bel, dichtslaande portieren, en zelfs onder de jassen voelde ik de lage buizen en ergens heet en diep een draaiende motor.

Maar toen stapten de eigenaren uit en sloten me op. Alle portieren gingen tegelijk op slot. Het was alsof harde stalen vingers mijn nek vastgrepen, zodat ik geen lucht meer kreeg. Even later voelde ik een schok en we voeren weg, een akelige donkere droom tegemoet. De witte strepen midden op de weg vlogen alle kanten op, het stof woei in mijn ogen en de reis keerde in zichzelf, zodat het eind het begin raakte en de lange tocht ertussenuit viel en verdween, zoals Miko me had gewaarschuwd. Mijn pruik was afgevallen en ik was weer gewoon Holly Hogan, in de diepten van de hel.

Opgesloten, in de val.

Ik bonkte op het raam, maar er kwam niemand.

Laat.

Me.

Eruit.

Ik was weer in de gesloten afdeling, de eerste keer dat ze me opsloten. Ik bonsde op de deur, maar er kwam niemand. Huil maar raak, schattebout, de deur blijft de hele ochtend op slot. Ik rukte de dekens van het bed, smeet het bed ondersteboven, wierp me languit op de grond, schopte tegen de muren en schreeuwde de longen uit mijn lijf. Er gingen allerlei laatjes open in mijn hoofd, die ik al jaren niet meer had opengemaakt. Ik probeerde ze snel weer dicht te gooien, maar er bleven aldoor flarden van herinneringen naar boven komen. Een stem, een gil. Ik was zo bang dat ik de haren uit mijn hoofd trok. Alsjeblieft. Laat me eruit.

De motor dreunde als een beest dat gromt in zijn slaap.

Ik gaf het bonzen op. Ik lag uitgeteld met mijn wang tegen het glas en staarde naar het zwakke licht, de ene auto na de andere, rijen bumpers, glas met niets erachter, grauwe kleuren. Ik leunde achterover en keek naar de beige en groene vlekken op het plafond van de auto. In mijn hoofd viel een groot gat, dat gevuld werd met duisternis.

Mama. Waar ben je naartoe gegaan, mama? Waarom heb je me alleen gelaten?

De boot ging op en neer op de deining. Overal in mijn hoofd gleden laatjes open en de inhoud viel eruit. Ik kon het niet tegenhouden. Ik wilde niets zien, maar het was te laat. Ik had het al gezien. Daar waren ze. Drie kleine figuurtjes. Mama, Denny en kleine Holly Hogan. We waren samen opgesloten in de hemelflat, voor eeuwig gevangen in dat moment, net als het insect in de barnsteenring.

43

In de hemelflat

Sweet dreams are made of this, zingt de vrouwenstem uit de luidsprekers. Mama lacht terwijl ze haar rode geborduurde bloes met het strijkijzer bewerkt. Denny lacht ook, maar ik staar en knipper met mijn ogen. Waarom plagen ze me?

'Jee, Bridge,' joelt Denny. 'Ik lag me rot.'

'Wegwezen, Holl,' zegt mama. Ze zwaait dreigend met het strijkijzer. 'Anders strijk ik je gezicht. Ksjt.'

Ik sluip met de leeggeknepen tandpastatube naar de badkamer. Ik bijt met mijn ondertanden op mijn bovenlip en wacht. Het is stil.

Maar dan.

'Geef me het geld, Bridge. Geef op, verdomme,' brult Denny. Ik hoor een bord vallen. Ik wil er niet heen, maar mama heeft me nodig. Mijn voeten nemen me mee terug naar de kamer. Het bord ligt op de grond. Het eigeel is gestold als plastic. De strijkplank ligt op zijn kant, met een stalen poot in de lucht. *Who am I to disagree?* zingt de vrouwenstem.

'Het hoerengeld,' schreeuwt Denny. 'Ik weet dat je het ergens hebt verstopt.'

Hij bedoelt het geld dat mama en ik sparen om naar Ierland te gaan. Soms stopt mama het in een pak cornflakes. Of in een pan in de keukenkast. Of in haar hoge leren laarzen.

'Ik heb niets meer,' snauwt ze. 'Geen cent.'

'Je liegt.'

Denny pakt haar schouders vast en duwt haar tegen de muur.

'Laat mama los,' gil ik.

Mama probeert zich los te wringen. Ze heeft het warme strijkijzer in haar hand en het komt tegen zijn arm aan. Denny brult het uit.

'Je liegt zelf!' schreeuwt ze. 'Dief!'

'Kreng.' Hij wringt het strijkijzer uit haar hand en slaat haar in haar gezicht. 'Ik zal jouw gezicht eens strijken,' zegt hij. Hij houdt het strijkijzer dicht bij haar wang.

Ze bewegen zich niet. *Everybody's looking for something.*

'Niet doen, Denny. Alsjeblieft,' fluistert mama.

'Ik doe het hoor, Bridge,' sist hij. 'Ik verander je gezicht in een doorgeprikt ei.'

'Nee, Denny. Alsjeblieft.'

'Het zit in haar laars, Denny,' piep ik.

Maar ik besta niet. Hij staat oog in oog met haar. Zijn heup drukt in haar maag alsof ze van klei is.

'Het geld zit in mama's laars,' gil ik.

Zacht, als een kus, houdt hij het strijkijzer tegen haar haren. Even knettert het een beetje.

'Net goed,' zegt hij. Dan lacht hij en stapt achteruit. *Sweet dreams are made of this, sweet dreams are made of this…*

'Het was maar een grapje, Bridge.'

Ze houdt een hand op haar haren, met haar mond open als een O. Denny heeft haar het strijkijzer teruggegeven en duwt me opzij om naar de slaapkamer te gaan. Er wordt een laars tegen een muur gegooid en dan loopt hij terug door de kamer. Zijn gezicht lijkt op het masker in het museum, leeg en strak, met donkere krullen eromheen. Hij zwaait met zijn hand. 'Dag, allemaal,' zegt hij, maar hij kijkt niet om.

De voordeur wordt dichtgesmeten.

'Denny,' jammert mama. 'Kom nou terug, Denny. Kom terug.'

Maar hij is weg en ik ben er blij om. Hij heeft blijkbaar de trap genomen, want ik hoor geen lift.

Het Denny-poppetje is over de rand gevallen. Nu zijn alleen mama en ik er nog.

'Mama?' zeg ik.

De muziek staat nog aan. Ze zit op haar knieën over de omgevallen strijkplank gebogen en maakt geluiden als een ziek dier. Haar ochtendjas ligt uitgespreid over het kleed.

Ik loop naar haar toe en raak haar haren aan. 'Mama?'

'Denny,' kreunt ze.

Ze kijkt op en ziet mij. Haar ogen veranderen in spleetjes.

'Jij. Het is jouw schuld, Holl.' Met een ruk aan de mouw van mijn pyjama trekt ze me tot vlak voor haar gezicht. Ze schudt me door elkaar. 'Waarom moest je hem nou vertellen waar het geld was? Kreng. Dat was mijn geld. Van mij.'

Nu ben ik het die tegen de muur wordt gedrukt. Het zilverkleurige strijkvlak met gaatjes voor de stoom komt op me af, en het is mama's rode hand met de knokige pols die het vasthoudt. Ik schop haar, maar ze duwt haar arm hard tegen mijn hals. Ik bijt en ze vloekt en het strijkijzer komt op mijn hoofd terecht. Mijn schroeiende haar ruikt naar vuurwerk. Mijn hoofd ontploft en het hete metaal raakt mijn oor. Ik schop en gil en het strijkijzer valt hard op mijn voet. Ik krijs hard.

'Stil, jij.' Ze slaat me in mijn gezicht. 'Denk aan de buren.'

Ik vertrek mijn gezicht en mijn schouders schokken, maar ik maak geen geluid meer.

Mama en ik. We zitten vast in dat moment.

Dan wankelt mama achteruit. Ze beeft.

'Holl,' fluistert ze. 'Heb je pijn, Holl?'

Ze legt me op de bank en knielt bij mijn hoofd op de grond, terwijl ze de rode bloes als kussen onder me propt, en ze lijkt weer meer op mijn moeder. Ze doet het als in een droom en haar ogen gaan op en neer tussen zien en niet-zien. 'Gaat het, Holl?'

'Ja, mama.'

'Heb je erge pijn?'

'Nee, mama.'

'Ik ga nu weg, Holl.'

'Goed, mama.'

Ze kruipt als een baby over de vloer naar haar slaapkamer en doet de deur achter zich dicht. Ik hoor een stoel vallen en er breekt een glas. Ik hoor een la die wordt opengetrokken. Dan komt ze weer tevoorschijn, gekleed in haar beste witte jas, met de grijze bontkraag. Ze heeft haar witte handtas met de leren riempjes en franje over haar schouder.

'Ik moet opschieten, Holl.' Ze schudt als een opwindvogeltje. 'Blijf jij hier op de bank liggen. Ik moet Denny vinden en het geld terugkrijgen. Ons geld, Holl. Voor Ierland.'

‘Wanneer kom je terug, mama?’

‘Gauw, Holl. Heel gauw.’ Ze wringt aan haar barnsteenring. ‘Hier, Holl. Bewaar hem op een veilige plek. Voor zo’n ring hakken ze je vinger af.’ Ze trekt hem van haar vinger en duwt hem in mijn hand. ‘Bewaar hem goed.’ Haar woorden rinkelen als de ijsblokjes in haar doorzichtige drankjes.

Haar hakken verdwijnen klikkend en ze zwaait heen en weer alsof ze aan boord is van een schip.

‘Dag, mama.’

De voordeur slaat dicht en de muziek stopt. Ik hoor de lift komen met zijn geratel. Even is het stil. Dan gaat hij weer naar beneden en neemt mama mee. Ik hoor alleen nog het gedruis van Londen in de verte.

‘Mammie?’ zeg ik. ‘Mammie?’ Maar ik fluister zacht. Stil jij, we willen niet dat de buren over ons praten. Mama komt gauw terug. Ze wilde me geen pijn doen. Ik streel de barnsteenring en mijn hoofd bonkt. Mijn voet klopt hard en gloeiend als een draaiende motor.

44

Terug in het ruim

Mama's hakken klikten in mijn hoofd. Ze verdwenen en waren weg. Ik hield mijn knokkels tegen mijn ogen gedrukt, alsof mijn hersenen een schoolbord waren dat ik probeerde schoon te wissen.

Mijn linkervoet lag onder me en sliep zo erg dat ik het voelde kloppen.

Ik rook de verbrandingsmotoren van het schip als verschroeid haar.

Maar het beeld van mezelf als laatste poppetje dat over was, wilde niet weggaan.

Het is jouw schuld, kreng.

Ik was het meisje op de bank met het tijgerpatroon, en de rode bloes lag onder mijn hoofd.

Mama keek langs me heen naar iets wat ze liever wilde hebben.

Je kunt je niet alles tegelijk herinneren, want dan zou je hoofd barsten. Daarom stop je sommige herinneringen in een laatje achter in je hoofd en doet het dicht. Denny en mama, die dag in de hemelflat, hadden jarenlang in een afgesloten laatje gezeten. Ik was vergeten hoe alles in elkaar paste. Ik had mezelf wijsgemaakt dat het allemaal Denny's schuld was en dat mama voor hem naar Ierland moest vluchten en daar op me wachtte.

Dat was een droom, wist ik nu. In werkelijkheid had mama mijn haar geschroeid en was er daarna vandoor gegaan om Denny te zoeken, niet om aan hem te ontsnappen. Ze vluchtte weg bij mij.

Nu, in het vale licht, zag ik wat er echt was gebeurd.

Denny die ervandoor ging met het geld.

Mama met het strijkijzer.

En ik die alleen achterbleef.

De boot voer verder. Op deze duistere, deinende plek had ik het begin van mijn reis gevonden. Maar het was niet het vertrek uit Templeton House of de ontdekking van de pruik. Het was allemaal begonnen in de echte hemelflat, niet de gefantaseerde. De laatste plaats waar ik wilde zijn.

Ik lag achter in de auto van de hoza's en zag de pruik op de vloer. Ik raapte hem op en hield hem op mijn vuist. Ik was mijn borstel kwijt, dus haalde ik mijn vingers erdoorheen om hem een beetje netter te maken.

'Solace,' fluisterde ik. 'Waar ben je gebleven, Solace? Waarom heb je me alleen gelaten?'

Ik zette hem op.

Maar er gebeurde niets. Solace dook niet ineens in me op als een vleugje magie. Ze lachte niet, hing niet de clown uit en blies geen rookkringen naar de wereld van de hoza's. Ze wiegde niet uitdagend met haar heupen. Ze zat daar stilletjes en verdrietig in me, en ze was mij en alles wat we samen hadden gedaan, helemaal mij. De club, het liften, de brutaliteit, het opbellen, lopen, dromen, lachen en huilen. Ik in mijn eentje. Alleen.

Mijn eigen stem klonk hardop in de stille auto.

'O, Holly.'

De tijd ging voorbij.

Toen begon de boot erger te slingeren. Mijn maag kwam in opstand. Ik greep me ergens aan vast en langzaam drong het tot me door wat het was.

Dat is een kinderzitje naast je. Een kinderzitje, Holl. Weet je nog? Een kinderzitje betekent een kind. En die grijze hoza's hadden iets gezegd over kleinkinderen.

Ik herinnerde me dat Miko, toen we met het busje naar Devon reden, de kleintjes achterin had gedaan omdat daar kindersloten op de portieren zaten, en voorin niet. Kindersloten zorgen ervoor dat kinderen niet uit de auto kunnen vallen. Je kunt ze alleen van buitenaf openen, niet van binnenuit.

Misschien zou het voorportier wel opengaan, dacht ik. Het zou kunnen.

Ik was zo bang om teleurgesteld te worden dat ik doodstil bleef zitten.

Toe, Holl. Probeer het.

Ik kroop tussen de stoelen door naar voren, over de handrem tot op de stoel van mevrouw Hoza. Ik beet op mijn lip. Met ingehouden adem en bonzend hart trok ik aan het handvat...

45

De Star of Killorglin

... en met een klik ging het portier open. Het leek wel magie.

Stijf en zeeziek wankelde ik de auto uit. Ik haalde diep adem en deed het portier achter me dicht. Ik kon het niet op slot doen. Maar de hoza's zouden vast denken dat ze het vergeten waren. Ik rook de olie en het metaal van het ruim en sloop tussen de auto's door. Ik was doodsbang dat iemand me zou ontdekken. Maar er was niemand in het hele ruim. Het leek wel een parkeergarage op reis.

Ik vond een deur met een bordje NAAR DE BOVENDEKKEN. Ik deed hem open en stapte over de drempel die alleen bedoeld leek om je te laten struikelen. Achter de deur was een trap. Ik ging naar boven, hoger en hoger. En toen liep ik langs zitjes en gokautomaten. Het geroezemoes gonsde in mijn oren. Er kwam daglicht door de patrijspoorten, maar je kon niet veel zien door het dikke glas. Mensen lagen op stoelen te slapen of dronken uit plastic bekertjes. In een hoekje zag ik meneer en mevrouw Hoza. Zij las een tijdschrift, met een frons op haar gezicht.

'Moet je dit horen,' zei mevrouw Hoza. 'Het is vreselijk.'

Maar ik bleef niet staan om te luisteren. Ik slenterde verder, een trap op, een gang door en langs patrijspoorten. Een man wankelde langs me alsof het stormde, maar dat was niet zo. Hij was dronken. En hoe. Zijn wangen waren rood, zijn ogen stonden dof en ik wist dat hij een zwart gat in zich had, net als ik, en misschien mama en Denny ook.

Ik kwam bij een volgende rij gokmachines, waarop niemand speelde behalve een klein jongetje. Ik bleef staan om naar hem te kijken. Hij kon maar net bij de hendel. Toen er geen geld uit kwam, gaf hij de machine een schop, en zijn hele gezicht vertrok.

'Hé, jongen,' zei ik. 'Kop op. Hier.'

Ik dacht opeens aan het laatste geld van Phil, dat in de zak van mijn skatertop zat, en gaf hem de munten. Het jongetje gluurde naar me omhoog alsof ik niet goed snik was.

Ik glimlachte. 'Vooruit, pak aan. Ik heb het niet nodig.'

Hij herinnerde me aan de kleintjes in het tehuis. Ze vertrouwden je voor geen cent. Langzaam stak hij zijn hand uit en pakte het geld aan.

'Die kast deugt niet,' zei hij met het zwaarste accent dat ik ooit had gehoord.

'De fruitmachine?'

'Ja. Je kunt niet winnen.'

'Probeer dan de volgende.'

Hij schuifelde erheen. Ik wachtte om te zien hoe het zou gaan, maar hij keek boos over zijn schouder, alsof ik hem uit zijn spel haalde. Ik deed een stap achteruit en hield mijn handen tegen elkaar alsof ik bad, en hij glimlachte. Toen haalde hij de hendel over en er kwam een flinke stroom munten naar buiten. Hij juichte balkend als een gestoorde ezel.

'Goed gedaan,' zei ik.

'Wil je jouw deel?' vroeg hij.

'Nee hoor. Het is allemaal van jou.'

'Weet je het zeker?' Hij bood me een muntje aan.

'Heel zeker.' Opeens moest ik aan de kleine Einstein in het museum denken, met zijn buitenaardse wezens en meteorieten. Ik vroeg me af wat er zou gebeuren als die twee jongetjes van plaats ruilden in de wereld.

'Echt?'

'Ja, hou maar. Probeer het nog eens.'

Dat deed hij, maar het leverde niets op. Dus ging hij terug naar de eerste machine, stopte er een munt in en deze keer kreeg hij er een paar terug.

'Je bent een geluksvogel,' zei ik. 'Hoe heet je?'

'Joseph Ward. En jij?'

'Holly Hogan,' zei ik glimlachend.

'De zus van mijn pa is ook een Hogan,' zei hij.

'Ook toevallig,' zei ik. 'Waar ga je naartoe?'

'Weet ik niet. We gaan van de boot af, rijden een stuk en dan stopt pa op een parkeerplaats. Daar blijven we en ma maakt het eten klaar.'

'O.'

'Ik heb vakantie. Ik hoef niet naar school. Nooit meer, zegt pa.'

'Dat is boffen.'

'Waar ga jij heen?' vroeg hij.

'Naar huis.'

Hij glimlachte. 'Wil jij een keer?' vroeg hij terwijl hij me een munt aanbood.

'Nee hoor.' Ik herinnerde me hoe ze in het Iers afscheid nemen. 'Veel geluk.'

'Veel geluk,' zei hij en hij draaide zich om naar de gokmachine.

Ik liep weg, nu helemaal cashvrij.

Ik duwde een deur open tegen de harde wind in.

Meteen moest ik de pruik vastgrijpen om ervoor te zorgen dat hij niet wegwoei. Ik liep het open dek op. Er waren rood met witte reddingsboeien en daar stond de naam van de boot op: STAR OF KILLORGLIN.

De ene kant van het dek was winderig en de andere kalm. Iedereen zat aan de kalme kant, dus bleef ik aan de windkant. Ik hield een hand op de pruik. De boot beukte door de golven. In mijn hoofd ging nog een laatje open. Ik werd in het huis van de Kavanaghs 's ochtends vroeg wakker uit een nachtmerrie en zag mama op de foto bij mijn bed. Ze had haar lippen van elkaar en haar ogen keken opzij. Haar haren woeien op van haar wangen en ze hield haar hoofd schuin, alsof de wind een geliefde was. Ja, zo was het. Ze keek altijd langs me, alsof ik niet meetelde. Ze vijlde haar nagels, deed gezichtscrème op, paste haar nieuwe schoenen, koos een handtas uit en zei dat ik moest ophoepelen. Ze ging altijd van huis. Het geluid van de lift stierf weg en ik bleef alleen achter.

Die ochtend bij de Kavanaghs herinnerde ik me de echte mama in de echte hemelflat. Ik verscheurde de lippen die niet glimlachten, en de ogen als spleetjes. De papiersnippers vielen op het dekbed. Daarna sliep ik verder. Toen ik wakker werd en de verscheurde foto vond, was het alsof iemand anders het had gedaan, in iemand anders' droom.

Ik keek uit over de zee. Hij was prachtig, met helder water en romig schuim, alsof hij kookte. Koud en echt zoals mijn herinnering, hard en duidelijk zoals mijn keus.

Chloe in de bus naar Oxford glimlachte naar me. Ze kregen Thule in zicht, maar alleen uit de verte. Een plaats waar je altijd naartoe zou willen.

Voor ons uit was land, donkerpaars als een bloeduitstorting. Ierland. Ik glimlachte omdat ik nu wist wat Chloe bedoelde. Tot nu toe had ik het niet begrepen.

De zachte ogen van Grace keken vanuit het schuim naar me op. Trim lachte alsof hij nooit meer zou ophouden. Ik geloof niet in wonderen, zei ik tegen de schrijver die een keer naar onze school kwam. Misschien gebeuren ze voor andere mensen, maar niet voor mij.

Ik herinnerde me nu hoe ik lang had gewacht in de hemelflat, nadat mama ervandoor was gegaan. Het werd donker en ik deed alle lampen aan. Het werd ochtend en ik ging niet naar school. Ik wist dat ik moest blijven wachten, alleen met de muren en de stilte. Ik sloop rond alsof ik niet bestond, om de buren niet te storen.

Ik liep naar mama's slaapkamer en ging aan haar toilettafel zitten. Ik zag de brandwond aan mijn oor, en mijn haar dat verschroeid was. Ik pakte een schaar en knipte het verbrande haar met grote plukken af, tot dicht op mijn huid. Daarna speelde ik met mama's lippenstift en in een la vond ik de foto van haar op het strand. Ik stopte hem bij de barnsteenring die ze me had gegeven, om ze veilig te bewaren.

Ik deed cola over mijn Krispies omdat de melk bedorven was.

En ik probeerde te zwartepieten in mijn eentje, maar de helft van de kaarten ontbrak.

Ik weet niet hoe lang ik in de hemelflat heb gewacht. Maar op een gegeven moment werd er aangebeld, en daarna op de deur geklopt. Een vrouw riep mijn naam door de brievenbus. Ik verstopte me met de ring en de foto onder mijn bed. Ik herinner me nog het stof en de oude schoenen en het vloerkleed dat prikte. Toen trok iemand me aan mijn armen tevoorschijn, en nam me voorgoed mee uit de hemelflat.

De boot kroop langzaam dichter naar de kust. Mijn droom viel uiteen. De koeien die over de groene heuvels zwierven, de honden die lachten en hun buik lieten zien. Een droom. Mama die me glimlachend verwelkomde in haar halterjurk. Een droom. De teugen frisse lucht. Een droom. De regen zacht als zijde. Een droom.

Miko hield mijn dikke dossier in zijn handen. Ze heeft je verlaten, Holly. Hoe voelt dat?

Hij keek me nog één keer aan en draaide zich om.

Fiona bekeek me teleurgesteld op mijn kamer in Templeton House, de eerste keer dat we elkaar ontmoetten. Ik was niet het kind dat ze had gewild.

Ray keek naar de lucht, en de letters H-O-L-L-Y dreven uit elkaar. Ze verdwenen alsof ze er nooit waren geweest.

Ik bukte ergens uit de wind en maakte de veters van mijn schoenen los.

Miko, Grace, Trim, Fiona, Ray. Allemaal verdwenen. Weg uit mijn leven. Alleen was ik het nu die hen verliet.

De zon scheen met schuine strepen omlaag van achter een wolk. De golven dansten.

Vooruit, meid, fluisterde Solace. Jij en ik, voor altijd.

Mijn keel deed pijn alsof ik was vergeten hoe ik moest slikken.

Niet bang zijn, meid. Doe het.

Ik trok mijn schoenen uit.

Voordat je je bedenkt. Snel.

Ik klampte me vast aan de reling en de boot voer strak verder. In de diepte was een spoor van schuim, bruisend en wervelend, helemaal terug tot Engeland. Er scheen licht op het water. Je kunt God tegenkomen langs de weg, Holly. God langs de weg. God langs de weg. Phil reed met zijn vrachtwagen door het hoogste deel van het bos en keek neer op de brede Severn. Doe het. Stemmen uit het verleden, goede en slechte, die om anderen gaven of niet. Het meisje op de Titanic lachte, met haar haren in de wind, een godin die me voorging.

Nu, meid. Springen.

Er was geschreeuw en gelach, geduw en getrek. De vierkanten op de dansvloer flitsten. Lichamen wervelden, kwamen samen en gingen uiteen. Iemands armen schoten langs me. De Solace in me gilde hard en woest. Springen! De boot deinde, de golf klotste tegen de boeg. Mijn asblonde lokken vlogen omhoog en opzij, alsof ze naar de hemel reikten.

46

Solace vliegt weg

Voordat ik kon springen blies een windvlaag opeens de pruik van mijn hoofd. Ik probeerde hem nog te grijpen, maar het ging te snel. Hij vloog overboord en danste door de lucht. De lokken slingerden als de staart van een vlieger. De pruik zweefde omhoog en de haren wervelden zilverkleurig in het rond, alsof het onzichtbare meisje dat hem droeg danste van plezier. Toen dook de pruik omlaag en weg van me. Mijn eigen haren woeien voor mijn gezicht, wild en bruin, en ik hoorde Fiona's stem duidelijk in mijn hoofd. Mijn haar is teruggekomen, Holly. Alleen anders. Ik raakte de dunne bruine slierten aan en ze waren van mij. Ze waren sterk en steil en de schroeilucht was weg.

Met een laatste blonde flits viel de pruik in het romige schuim en verdween.

Maar ik ging er niet achteraan. Ik bleef waar ik was.

Het was alsof Fiona mijn schouder vastpakte. Ze liep over de markt op Tooting Broadway en kwam roepend naar me toe. Ze liep niet weg. De andere mensen die boodschappen deden, draaiden zich om en riepen ook, en midden tussen hen in stond Miko, boomlang, en hij riep: wacht, wacht, Holly Hogan. Wacht.

De pruik die Fiona had herinnerd aan een akelige tijd, spoelde ver mee, het witte water op. Misschien dreef hij wel tot op de open oceaan. Of hij zonk en zweefde naar de bodem, zodat er nu vissen tussen de asblonde lokken door zwemmen en er schelpen op groeien. Of hij heeft Ierland bereikt. Misschien is hij aangespoeld op het strand, samen met het drijfhout en het zeewier, en rolt hij over het zand, in de branding. Een meeuw heeft er haren uit getrokken voor zijn nest en dikke, donzige kuikens houden die warm en droog.

Ik weet het niet.

Maar Solace was weg en Holly Hogan, nu vijftien jaar en één dag oud, was terug.

47

Thule

Ik keerde me af van de reling en liep op blote voeten over het dek. Ik vergat mijn schoenen aan te trekken. Vooruit had de vage horizon de vorm aangenomen van rotsen, heuvels en velden, vlekken roze en grijs. De haven van Rosslare werd zichtbaar. Er was een groene heuvel waarop koeien dwaalden, het water was blauw en een weg liep als een glinsterend lint langs de rotsen. Het was Ierland, zacht verlicht als een droom.

Maar ik ging niet in de rij staan om van boord te gaan. En ik daalde niet af naar het ruim om met iemand mee te rijden. Ik bleef aan dek en keek naar de kade, de mensen en de auto's. Ik zoog de Ierse lucht op.

Toen draaide ik me om en vond een kantoortje waar een man en een vrouw in uniform zaten te praten. Ik ging naar binnen en vertelde dat ik een verstekeling was. Ze lachten alsof ik het verzon. Maar ik lachte niet mee. Ik kon geen woord meer uitbrengen. En toen zagen ze dat ik geen schoenen aanhad, en ik zag er vast verwilderd en smerig uit, want ze stopten met lachen. De man vroeg wie ik was en waar mijn moeder was. Ik zei dat ik Holly Hogan heette en vijftien jaar en één dag oud was, en dat ik geen moeder had, maar dat ik in huis was bij Fiona en Ray, aan de Mercutia Road in Londen.

Ze zeiden dat ik aan boord moest blijven, en brachten me naar een kamer met een kleine patrijspoort. De vrouw kwam me patat en cola brengen, en ik werkte alles snel naar binnen. Maar toen moest ik naar de wc om over te geven. Ze namen me mee terug naar Groot-Brittannië, zonder dat ik een voet op Ierse grond had gezet. Ik was net de Romein die langs Thule voer en geen tijd had om aan land te gaan. Misschien vond ik het jammer, en misschien ook niet. Op een dag zou ik er weer naartoe varen.

Ze reden me in een auto door Wales en Engeland. Ik herinner me niet veel van de rit. Ik keek uit het raam, maar we bleven op de grote weg en er was niet veel te zien, dus viel ik in slaap.

48

Het stof van de weg

Ze stuurden me niet naar de gesloten afdeling. In plaats daarvan brachten ze me naar een ziekenhuis op een heuvel in Zuid-Londen, voor mensen met psychische problemen. Toen ik dat op een bord las, raakte ik in wilde paniek, maar een verpleegster zei dat het oké was en dat ik er maar even zou blijven. Het betekende niet dat ik gek was, en ik hoefde me geen zorgen te maken over spuiten en dwangbuizen. De andere mensen op de afdeling waren net als ik, moe en ongelukkig, en ze hadden behoefte om te praten.

Het was echt oké. Ze sloten je niet op en er waren grote ramen waardoor de zon naar binnen scheen.

Elke dag kwam er een vrouwelijke psycholoog bij me langs. Ze klonk een beetje als Gayle van de Kindertelefoon, maar ze heette mevrouw Rajit en kwam uit India. Ze vroeg me waar ik van hield, en waarvan niet. Kleuren, getallen, eten. Daarna vertelde ik haar over de weg en de witte strepen, en dat ik ten slotte de hemelflat had bereikt en wat ik daar had gevonden.

Ik vertelde dat ik bijna was gesprongen.

'Waarom had je je schoenen uitgetrokken, Holly?' vroeg ze me.

'Ik weet het niet. Zomaar.'

'Was je echt van plan om te springen?'

'Ja. Ik geloof het wel.'

'Wilde je dood?'

'Ja. Ik denk het. Waarom zou ik anders springen? Je springt niet van zo'n groot schip om even te gaan zwemmen, toch?'

'Waarom had je dan je schoenen uitgetrokken?'

Wat kon die zeuren, zeg. 'Ik weet het niet, zei ik toch.'

Maar ik wist wat ze bedoelde. Dus zei ik dat ik wilde springen, maar ook wilde zwemmen. Misschien had ik zonder schoenen een kans om het te overleven. Misschien zou er een andere boot komen, die me oppikte. Maar ik was niet gesprongen. Dus wat deed het ertoe? Mevrouw Rajit glimlachte en ging verder met de volgende vraag.

Toen kreeg ik Fiona, de vragenkampioen, op bezoek. Ik was doodsbang dat ze woedend zou zijn, en ik beefde toen ze langs de bedden liep.

'O, Holly,' was alles wat ze zei toen ze me zag. 'Holly.'

Ze kwam op het bed zitten en haar ogen sprongen vol tranen. Ik was nu officieel de laatste walvis die was geharpoeneerd.

Ze zei dat Ray en zij doodongerust waren geweest. Ze wisten niet wat ze moesten doen. Daarom was ze maar een lappendeken gaan maken als afleiding, en dat was een grote grap, want ze kon helemaal niet naaien. Terwijl ze de lapjes aan elkaar prutste, vroeg ze zich de hele tijd af wat ze fout had gedaan, waarom ik was weggelopen.

Ik beet op mijn lip en vertelde over de pruik, en dat de pruik en ik samen een bad girl waren geworden die Solace heette. En dat ik op weg was gegaan en de witte strepen had gevolgd, helemaal tot in Wales, en dat ik hoopte dat ik in Ierland mijn moeder zou vinden. Daarna vertelde ik haar over het strijkijzer en mama die mijn haren schroeide, en alle andere dingen die ik had ontdekt in de echte hemelflat.

'O, Holly,' fluisterde ze. 'Je weet het weer.'

Daarna kwam ze elke avond, en Ray ook.

Fiona bracht druiven, tijdschriften en stukken pizza voor me mee, die je mocht opwarmen in de magnetron in de keuken. En Ray kocht een iPod voor me omdat ik die van mij kwijt was. Hij had er al mijn lievelingssongs van Storm Alert op gezet, plus een rare nieuwe band die hij goed vond en die String Theory heette.

Op een dag had Fiona mijn dossier bij zich. Ik had het recht om het in te zien en ik zei dat ik het wilde. In het politierapport stond dat mama tippelde en verslaafd was en dat Denny drugs verkocht en zelf ook gebruikte. Daarom had de politie Jeugdzorg ingeschakeld voor mij. Toen kneep mama ertussenuit en ging terug naar Ierland en verdween. Maar voordat ze wegging, had ze Jeugdzorg gebeld om te vertellen dat ik in de flat was, en te vragen of ze voor me wilden zorgen. In het dossier stond dat ze me hadden aangetroffen met geschroeid, afgeknipt haar, brandwonden op mijn oor en een gezwollen voet, en dat ik niet wilde praten. Ik zei alleen: 'Waar is mama?' Dus dat had ik me goed herinnerd.

Wat in het dossier stond zat ook in mijn hoofd. Alleen had ik het een tijd weggestopt.

Fiona zei dat ze razend zou zijn als ze mij was. Ze zou de hele wereld willen opblazen om wraak te nemen op de vrouw die van haar zou moeten houden, maar er zomaar vandoor was gegaan. Ik glimlachte bij het idee dat Fiona met haar red-de-walvissen ogen de hele wereld wilde opblazen.

Ray kreeg de baan in het noorden, maar weigerde hem. Hij zei tegen Fiona en mij dat hij rustig aan wilde doen met zijn werk, geen overuren meer zou maken in het weekend en basgitaar ging spelen. Op de vergadering waar ze mijn geval bespraken, nam hij het voor me op. Hij zei dat ik me in huis goed had gedragen en was gestopt met roken zonder dat het me was gevraagd, en dat we het alle drie nog een keer wilden proberen. Fiona knikte en huilde en ik staarde naar mijn handen en had zin in een sigaret. Maar ze geloofden Ray en vonden het goed.

Dus ging ik terug naar de Mercutia Road. Toen ik uit de inrichting kwam, vertelden Ray en Fiona dat ze me voor mijn verjaardag hadden willen verrassen met een hondje. Daarom zou Fiona laat thuiskomen, op de dag dat ik was weggelopen. Ze ging naar de kennel om het te regelen. We moesten wachten tot hij acht weken was voordat hij weg kon bij zijn moeder. Toen kwam hij met ons mee naar huis.

Nu hebben we hem al meer dan een jaar. Het is een rare vogel, zou Miko zeggen. Hij lijkt op een verlengde limo, met zijn buik vlak boven de grond en zijn voor- en achterpoten ver van elkaar. Ik heb hem niet Rosabel genoemd, omdat hij een mannetje is. Hij heet Thule, naar de plaats waar je van droomt. Maar we noemen hem vaak Sukkel, en soms Slome.

Ik ga weer naar school, en Karuna en ik zijn nu echt vriendinnen. Soms mag gekke Max de klokkenluider ook meedoen, omdat hij nog geschifter is dan wij. Karuna is een goth geworden en is haar eigen doodskist aan het maken bij handenarbeid – echt waar. Van mevrouw Atkins moest ik een lang verhaal schrijven over Jane Eyre die met Rochester trouwt en tijdens haar huwelijksreis naar de Franse Rivièra ontdekt dat hij al getrouwd is en haar bedrogen heeft. Ik verzon dat ze woedend een roeiboot steelt om terug te gaan naar Engeland, maar dan wordt opgepikt door piraten. Ze besluit zelf ook piraat te worden en alle mannelijke piraten worden verliefd op haar en zij is de baas over de hele bende. Ze noemen haar Juwelen Jane omdat ze altijd sieraden steelt. Het was stukken beter dan de echte *Jane Eyre.*

Mevrouw Atkins gaf me een achtenhalf, en las het voor in de klas. Karuna pest me er nog steeds mee.

Eén keer in de week ga ik naar mevrouw Rajit. Soms weet ik niets te zeggen. Dan teken ik de hemelflat voor haar. Andere keren vertel ik haar over iedereen die ik op mijn tocht heb ontmoet. Ik laat haar de kaart zien en wijs aan waar ik aardige mensen ben tegengekomen die beschermengelen voor me waren, omdat ze iets deden om me te helpen en niets terugvroegen.

Chloe, die me over Thule vertelde.

Kim, die me een broodje gaf.

De magneetman.

De jongen op de motor, wiens naam ik nooit heb geweten, en zelfs Kirk met zijn vrachtwagen vol varkens.

Sian, die zei dat ik het figuur had van een danseres.

En Phil met zijn droevige veganistische ogen, die me de taart met onzichtbare kaarsjes gaf. Ik wed dat hij nog steeds God in zich heeft en de groene routes kiest en de witte strepen volgt met zijn kaastruck, terwijl hij plannen maakt voor wat hij daarna gaat doen.

Van de mensen in Templeton House zag ik nooit meer iemand. Soms hoor ik Miko's stem nog in mijn hoofd. En ik zie hem glimlachen en vanaf de top van een heuvel op me neerkijken, met zijn gitaar op zijn rug. Ik hoop dat het goed met hem gaat. Rachel heeft me verteld dat Trim rechtstreeks van het tehuis naar de jeugdgevangenis is gegaan. Dus hij heeft nooit de kans gehad om zijn casino's te openen. En Grace is uit het tehuis vertrokken zonder te zeggen waar ze naartoe ging. Ik koop vaak tijdschriften en zoek dan naar haar prachtige gezicht als van een echt supermodel. Er staan mooie meisjes in met allerlei huidskleuren. Soms is er een met karamelkleurige wangen en vlechtjes in haar haren, en dan moet ik heel even beter kijken. Maar ze kunnen niet tippen aan Grace, met haar ogen die glinsteren als donkere munten, en haar raadselachtige glimlach. Toch blijf ik kijken, en ik hoop dat ik haar op een dag zal vinden, wiegend over een catwalk, behangen met juwelen, precies zoals ze droomde. Het is alsof je naar de hemel loopt, Holly, roept ze me toe vanaf de middenpagina. Naar de hemel lopen, Holly, zonder eerst te moeten sterven.

Woord van dank

De sociaal werkers die ik in 2004 in Oxford heb ontmoet tijdens de cursus over de rechten van kinderen wil ik graag hartelijk bedanken. Ik heb veel gehad aan de verhalen over hun werk. Vooral Pete Treadwell heeft me een en ander verduidelijkt over de hulp aan kinderen die 'aan de zorg toevertrouwd zijn'. Mijn dank gaat ook uit naar Childline en de Who Cares? Trust, voor hun waardevolle publicaties.

Fiona Dunbar, Oona Emerson, Helen Graves, Sophie Nelson, Alison Ritchie, Linda Sargeant, Anna Theis en Lee Weatherly zijn me op allerlei manieren behulpzaam geweest. En ik ben ongelooflijk veel verschuldigd aan mijn agente Hilary Delamere en mijn vijftal redacteuren: Annie Eaton, Kelly Hurst, Bella Pearson, Ben Sharpe en vooral David Fickling. De tocht viel niet altijd mee, maar zij gaven het nooit op.

Ten slotte bedank ik Geoff omdat hij me voor mijn research heen en weer gereden heeft over een oude hoofdweg. Het was een luchtsprong, zoals Holly zou zeggen.

Ik heb de namen van Helen Graves, Sophie Nelson en Alison Ritchie toegevoegd aan deze lijst, omdat ik weet dat Siobhan dat gewild zou hebben.
DF

Verantwoording

Sweet Dreams (Are Made Of This)
Words & Music by Annie Lennox & Dave Stewart

Heb je van dit boek genoten?

Lees dan ook:

ISBN 978 90 475 0922 6